智慧婦人
建立家室
愚妄婦人
親手拆毀

——箴言十四章一節——

主僕 鄧遵澗 敬題

目錄

自序

願　神祝福閱讀本書的每一位讀者！

有位女士對我說：「我不知道你還寫書哩！」

「我也不知道自己能寫書！」我告訴她。事實上這完全是　神的帶領和恩典。

有一天我的女兒悅愛一回家就對我說：「媽，妳最好趕快寫妳的書吧！今天我的辦公室中有人問說：『我想要買一本你母親著作的書，怎麼到如今連影子都還不見呢！』」

我原本是學音樂的，當我十四歲初到美國時連一句英語也不會講，但我相信「奇蹟」。這本書的出版就是一個「奇蹟」，自開始動筆後，我常坐在打字機前禱告：「主，接下去該寫些什麼呢？」

我曾告訴薛牧師：「我是你的『糖醋排骨』，有時候是甜的，但大部分時間是酸的！」當出版社要我提出這本書的「書名」時，我就爲書名禱告，主提醒我以前向薛牧師說過的話，因此英文版取名爲「Rib」，中文版則定爲「智慧婦人」——因此書強調「智慧婦人，建立家室，愚妄婦人，親手拆毀。」（箴十四1）

神愛男人，所以願這本書完成後能使妻子們多甜少酸——成爲男人理想的「肋骨」，正如聖經所言：「房屋錢財是祖宗所遺留的，惟有賢慧的妻是耶和華所賜的。」（箴十九14）

本書的寫作目的乃在指明智慧之道，使每一位基督徒婦女都能建立一個充滿愛心、歡樂的家庭。

薛王美溢於休士頓

第一章　奇妙的食物

「美溢，先講食物！」「主！祢說食物？」我問道：「怎麼一開頭就談吃的？是不是該用比較屬靈一點的題目？」

然而祂的回答仍是：「第一章是食物！」

我覺得很奇怪，爲何　神認爲食物對基督徒這麼重要？等我開始讀許多有關食物的經節之後，才驚奇地發現　神是多麼渴望餵養我們！

最近我們家的金絲雀媽媽生了一隻小鳥，金絲雀爸爸很忠心的哺育牠們，只要小金絲雀一張開口，唧唧叫幾聲，牠馬上就餵牠們。這使我聯想起　神所應許的：「……你要大大張口，我就給你充滿。」（詩八十一10）

我們需要以恩慈及愛心去餵養別人。假如我們沒有以愛心來對待我們自己的家人，我們就完全失去養育的目的。

神爲何要使草生長——祂爲的是讓牛有吃的。祂不怕麻煩，因祂關心並愛所有以草爲生的牛羊等。你可能會說：「　神是個靈，祂是屬靈的，怎麼老關心這些屬世的瑣事，一點也不屬靈。」

雅各所認識的　神是「……一生牧養我直到今日的　神」（創四十八15）。牧養是一種服事的工作！你如何牧養？用什麼牧養？你對待家人的態度，決定　神是否能信任你，相信你會以愛心去牧養祂的子民。如果你每天為家人準備三餐時，都好像是為耶穌預備的一樣——這其中就會有天淵之別。你不會說：「我是在塡飽這些小傢伙的肚子，」而會說：「我是在請耶穌吃飯。」當你為家人作飯時，也就是在為耶穌作飯一樣，因這些小傢伙可說就是主肢體中最小的一羣。正如主自己所說：「所以你們旣作在我這弟兄中一個最小的身上，就是作在我身上了。」感謝主，讓你有煮飯的特權。

神甚至去牧養冷淡退後的人。「以色列倔强，猶如倔强的母牛，現在耶和華要放他們，如同放羊羔在寬闊之地。」（何四16）

我早就想要有一隻小羊——好提醒我常常保持柔和、謙卑。有一次，當我過生日時，　神給了我一隻小羊，這隻小羊尚未經過馴服，以致牠不讓任何人靠近牠。但牠喜歡吃乾玉米，每當聽到玉米罐搖晃的聲音，牠就會跑來吃我們手中的玉米。有時　神就是這樣盼望我們能吃祂手中的食物，甚至更想要我們親近祂，祂願意撫慰我們，給我們所喜愛吃的，　神的慈愛實在永不止息。

神揀選並且呼召大衛說：「……你必牧養我的民……。」（撒下五2）大衛原先只是牧放一些「不屬靈」的羊，但卻能滿懷愛心及喜樂地去做。（我可想見他一路蹦跳，唱着自編的歌，休息時彈琴自得其樂。）所以　神說：「我要呼召他來牧養我的子民！」

不要爲你該如何服事　神而焦慮，以耶穌的心去做一切看來不夠「屬靈」的事，這正是神要預備你，將來可用在屬靈的事工上。有時　神領我們經過「謙卑之谷」，使我們能「合乎主用」，我們需要學習如何在日常生活中活出眞理。

如果你的丈夫不是一位基督徒，你想要告訴他　神是多麼美好，你不必對他講道或强迫他上教堂，只要甘心樂意地爲他作些營養而又好吃的東西，他就認爲你的　神實在不錯。

當耶穌——　神之子、萬王之王、萬主之主——戰勝最後一個敵人——死亡，又從死裡復活後，祂次日清晨所做的第一件事是什麼呢？就是爲祂的門徒們預備早餐，餵飽他們！我們常有一些不正確的觀念，就是認爲在廚房中與柴米油鹽爲伍，忙於一日三餐實在不值得，我們總認爲還有一些「更偉大的服事」待做。

一個有智慧的婦人不會在一家人吃飯時嘀嘀咕咕，向小孩們吼叫著要他們吃完青菜，或糾正他們的毛病，吃飯時應該是開心、舒適的時間。

你有沒有接受　神的呼召去餵養你的家人？餵養是一門藝術，「祂必像牧人牧養自己的羊羣」（賽四十11）。

我的母親就不忍心看到自己的女兒，在美國凡事都要自己做，煮飯洗衣又沒有傭人幫忙，她會說：「你有音樂才華，卻把時間浪費在準備三餐，實在可惜！你應該作曲，爲　神開音樂演奏會。」我當時幾乎相信她的話，開始覺得煮飯是一件難以忍受的瑣事。我丈夫會說：「你這麼喜歡到外頭的餐館吃飯，你眞應該嫁給餐館的老闆。」

當我們在達拉斯時，有位素未謀面的女主人與我們一同禱告，她預言　神將讓我開始一個新的服事，我好興奮，但不知道會是什麼？

這段時間　神正教導我學習「愛的功課」，藉着艾文士牧師（Leonard Evans），他讓我明白我們對　神的愛必須先流向他人，然後才流向　神。換句話說，如果我們要愛天上的神，必須先愛地上的人。我開始禱告祈求自己能有這樣的愛，不久之後，並沒有什麼特別的原因，卻有一羣青年人開始在我們家中聚集。

我自然而然擔起爲他們煮飯的工作，有一段時間每天飯桌前總有一打以上的人，他們總是在吃飯時間報到，我想這一定是　神給我的新服事。

神訓練我對烹飪和牧養有正確的態度，祂似乎在爲未來作預備，祂對我說：「妳這本書的第一章是有關食物的！」

空氣、水、維他命

智慧的婦人會細心調理一家的飲食，因為世上有「奇妙的食物」和「騙人的食物」，而我們需要分辨二者的不同。

如果你好好利用「奇妙的食物」，你就較少需要一些「奇妙的藥丸」。

智慧的婦人不吃任何無益於她的東西。而奇妙的食物之一，就是**免費的空氣**，我們可能不認為空氣是食物，但它却是我們不可或缺的東西。許多人家中為防冷氣外洩從不開窗戶，又塞滿了東西；我曾經去過一些有問題的家庭，當我踏進屋內的那一刹，就知道問題的所在，他們需要打開門窗來透透氣，不論天氣如何，一個家每天起碼該讓新鮮空氣流通十分鐘。

水是神所賜的另一種奇妙食物，因為它能促進體內的新陳代謝。你可能非常注重外表的整潔，但也該注重體內的清潔；這與屋子換氣是同樣的道理，我們的身體器官也需要潔淨，最好的方法就是**每天吃任何東西之前，先喝大量的水**。

當我開始為健康的理由而喝水時，每次吃東西**之前**總先喝幾大杯水，這實在不容易做到，眞需要經過訓練才行。養成這習慣後，我發覺自己比以前更健康，而且很多煩惱都自然地煙消雲散。如果你所住的當地水質不好，你可以買礦泉水或蒸餾水飲用。

在吃任何東西之前先喝水是很重要的，你實行一段時間後，可減爲一杯左右。最好每天早上先盛好一罐半加侖（或滿一加侖）的水，這樣你才知道你到底喝了多少。

某位太太只有一個好的腎（另一個腎已惡化），不久前，她來要求我們一起爲她禱告，我强烈感覺一定要告訴她每天至少喝一加侖的水，她和她先生立刻買了五加侖的礦泉水，一星期後她打電話來說：「美溢，謝謝你的處方，我身體好很多了！」她丈夫鼻塞的毛病也消失了，完全不需再吃藥。這位太太說：「一切都太奇妙了！」

中國人早餐喝水是很普通的事，甚至聖經也告訴我們要大量喝水，如果我們能照　神的話去做，就不需常爲身體得醫治禱告了。

除了水以外，我們也需要**維他命**，因水分會消耗很多維他命。不但我們消化食物時需要維他命，現代生活的緊張壓力也會加速維他命的消耗，我們應特別注意以下幾點：

維他命A對眼睛有益。有時我們需要睜大眼睛，對另一半有新的認識。

維他命B能美容。如何保有屬靈美，是本書討論的主題之一。

維他命C能解除壓力，保持安靜。

維他命E是精力來源。在屬靈生活中，我們從聖靈得著能力。

或許有些「萬靈丹」的確能在你生病時發生奇妙的作用，但只要每天吃「奇妙的食物」，你就用不著那些神奇的藥丸。

奇妙的食物

食用酵母（Brewer's yeast）：不是平常烤麵包用的發酵粉，而是呈小塊或粉狀。有些人特別培育來當食物，所以又稱爲「食用酵母」，這種酵母是最廉價的蛋白質及維他命B的來源。

我們的身體每天都需要維他命B和蛋白質，除了肝以外沒有其他食物比食用酵母更富含維他命B，如果你吃不起牛排，不如就吃食用酵母。

食用酵母也是一種很好的減肥食品。飯前飲用一茶匙的食用酵母再加上牛奶或果汁，可降低食慾，但仍富有維他命；但若你想增加體重或發胖，就在飯後食用。

我曾在一本營養雜誌上讀到，若使用食用酵母有恢復記憶力和防止衰老的作用，此外它對神經也有好處。

男孩子之間常是吵吵鬧鬧的，楊家有四個兒子，但他們卻相處得十分安靜。我問這位母親：「你到底用什麼法寶？能使這四個十幾歲的男孩不打得天翻地覆？」

「哦！」她說：「我叫他們每天飲用食用酵母，他們學著每天把食用酵母加在葡萄汁或蘋果汁中飲用，試了一陣之後，發現他們的皮膚變得十分滑潤，面疱也不見了，而且他們都覺得身心舒暢，現在是每天搶著喝呢！」這是一羣聰明的小孩，當然他們的母親也是一位有智慧的母親。

有時我們易怒、煩躁，都是由於缺乏維他命B，並不是魔鬼或老我作祟，只是營養上出了問題罷了。

黑糖漿（Blackstrap molasses）：一大匙中含有約一杯牛奶的鈣和九個蛋的鐵質，並富有多種維他命。但切記在吃黑糖漿後一定要漱口以防蛀牙。

酸乳酪（Yogurt）：已證實它可促進消化，因它在腸中可製造蛋白質。如果你有便秘的毛病，酸乳酪對你很有幫助，同時它也可製造維他命B和供應易消化的蛋白質。

保加利亞有許多百歲人瑞，均將他們長壽秘訣歸因於吃酸乳酪。

如果你關心你的家人，可訓練他們愛吃酸乳酪的習慣，這東西有點酸，如果你想減肥的話，就避免買含水果或糖的，不然也可以自己做。自己做酸乳酪一點也不費力，在一般天然食品店或商店，都可以合理的價錢買到製酸乳酪的東西。自己製作時，可在酵母中加入蜂蜜或新鮮水果，味道會更好。

小麥胚（Wheat Germ）：不但富有蛋白質且含多種維他命B。甚至有的說法是 神創造了整個麥粒來保護麥胚（亦稱芽包），小麥胚及麥胚油都含有維他命E，但麥胚油不含維他命B。

麥胚油有助於消除疲勞、增加體力，一天一小匙可提升心臟百分之三十的氧氣，效果和戴氧氣罩一樣。

小麥胚對頭髮也有益，也可當早餐吃，在超級市場就可買到。

奇妙早餐食譜：三大匙小麥胚，一大匙卵磷脂和一大匙葵瓜子（可壓碎）混在一起，再加上你喜歡的水果（對想減肥的人，草莓和甜瓜含卡路里最低），再倒入些牛奶，享受你愉快的一天吧！

當農人想使母牛懷胎時，就在飼料中加上維他命E和小麥胚油。由於它再生的能力很強，有人開玩笑說「一瓶小麥胚油，一個娃娃」，在瑞典它被稱爲「性」維他命，有些人稱小麥胚油是青春之泉。

小麥胚主要含有礦物質、鐵、磷、維他命A、多種維他命B和E。半杯的牛奶加小麥胚等於二十四克的蛋白質，或相當四個蛋。

當我們四個孩子還小時，家裏也常有客人，因此我常忙得很累，連早上剛醒來時都還覺得十分疲倦。有一天我累得哭出來，實在不知該怎麼辦才好，我的一位好朋友向我推薦小麥胚油；她心臟有毛病，有人建議她服用對心臟有益的麥胚油，結果眞的很有效。

我決定也試試看，早晚各服一小匙，不久之後，我不再易倦，精神舒暢多了。

我告訴孩子們這妙方，我們的女兒因常挑燈夜讀，精力消耗很多，所以也服用小麥胚油，用後覺得幫助不小，還向她的朋友們推薦。她總是確定家中要有一瓶小麥胚油——即使她得憋住氣，把它吞下去。

另外一種和**小麥胚油**大同小異的是**胚精油**（Energol）主要含有小麥胚油、米胚油、黃豆油，奧運選手常服用來增强體力。我眞的很感激這些食品給我的精力。

有宣敎士暫住我們家時，我知道他們十分疲累，就送他們一瓶胚精油，他們都十分感激，還來信告訴我如何受益等等。

卵磷脂（Lecithin）：這字的英文發音有「瘦」之意。我很喜歡這個名字，因爲它確實可使你瘦一點。卵磷脂是從大豆提煉而成的，我們體內所有的細胞都有卵磷脂，包括腦及眼在內。細胞需要不斷分化再生，卵磷脂對體內細胞十分有益。

據證實，低能兒童腦中缺乏卵磷脂，而常吃卵磷脂的兒童，在校內的表現也較好，因爲它對腦有幫助；此外卵磷脂可防止早衰及老化，如果想保持青春減少皺紋的話可多吃些；它還可防止發炎，具有鎭靜的作用，幫助維他命A及E的吸收，預防及治療肝腫大，卵磷脂亦可消除體內過多的脂肪。

蜂蜜（Honey）：因可殺死四十種不同的細菌，所以不必放在冰箱中，不妨常放在餐桌上，我們家中不用白糖，完全以蜂蜜代替。

葵瓜子（Sunflower seeds）：含有高單位蛋白質，是一種好零食。如果你流落在孤島上，只有葵瓜子可吃，那你至少還可維持一段日子，因葵瓜子含有一切的精華。蘇俄的兒童常在口袋中放上一把葵瓜子當零食吃，葵花吸滿了太陽能——它永遠面朝著太陽，葵瓜子富含維他命A和D，對眼睛有益，俄國的兒童多數不需要戴眼鏡。

芽菜（Sprouts）：好吃而且富維他命E、礦物質和酵素。例如大麥，剛生長時只含少量維他命C，等發芽時，維他命就增加六百倍。

記得用來發芽的種子必須是新鮮、沒灑過農藥的。

芽菜包括苜蓿芽，豌豆芽等，但馬鈴薯芽具有毒性不能食用。

在一般自然食品店內都可買到各種芽菜籽。

俗話說：「你吃下什麼就是什麼！」因此我們必須十分小心我們所吃的任何東西！

第二章　騙人的食物

有些食物我們稱它爲「騙人的食物」，因爲它只是唬人的，不但沒有一些兒營養，反會而蹧蹋你美好的身體。現今美國人最大的問題就是吃得過量，然而却營養不良。每年花上幾千萬美元去買一些「垃圾食物」，把身體變成垃圾箱。想想看我們是怎樣地在蹧蹋聖靈的殿啊！

糖是最會騙人的東西，據估計全美一年會消耗掉幾百萬美元以上的糖。糖不但會使人蛀牙、發胖，而且會破壞體內的維他命B，營養價值不高，只能帶給人短暫的熱力。一八五〇年，在美國平均每人每年消耗大約十磅的糖，而現在却增加到每人一百磅了。糖份會減低我們的抵抗力，據發現糖在很多方面均會干擾體內的化學作用，所以要儘量避免吃含糖份的食物，特別是果汁、乾穀片（cereals）、蕃茄醬、布丁、沙拉醬、飲料和罐頭水菓等。當你購買東西時，須先看看說明，含有糖份的最好不要買。要是極想吃甜食的話，滿足口慾最妥當的方法就是吃新鮮的水果。

我的禱告常是：「主！讓我遠離種種騙人的食物！」另一種騙人的食物，就是漂白過的麵粉、白麵包和任何以精製麵粉做的東西。當小麥胚芽失去後，一切營養價值都消失了。但你可能會說：「有加上其他營養成份了呀！」然而卻沒有人知道到底含有多少營養。這些東西，只能使人發胖，營養價值却微乎其微。

超級市場的貨架上擺滿各式各樣的乾穀片（cereals），有圓的、扁的、方的、甜的、紅的、藍的、黃的、加上香料的，這些都是爲了引誘人來吃這些「冷冷的乾穀片」。現在每盒約美金一塊多，但除了好吃之外，幾乎沒什麼營養，然而我們却每天都塞給孩子們這些不夠營養的早餐，然後打發他們去上學。

注意看看食品包裝上的說明，大多數你只會看到一些混合的化學品，我們雖想要吃好的東西，但這些我們所以爲好的東西，却可能變成騙人的食物！

除了以上所提的乾穀片及失去營養價值的白麵包外，任何含有防腐劑、化學色素、人工加味料的食物，都會破壞體內的維他命，而且對人體有害。譬如各種現成的調味料、冰淇淋、熱狗及漢堡都是典型的「披上羊皮的狼」。

我很喜歡吃冰淇淋，記得小時候，我常將所有的零用錢（除了十一奉獻外，大約九毛錢）都花在買冰淇淋上。後來我讀到有一種最便宜的化學品，是用在冰淇淋中當乳化劑，這種化學品也存在去漆劑及防凍劑中；其他加添食物味道的種種化學品，也同時存在清潔劑、染劑、黏膠、溶劑等中；目前，爲了不損及身體健康，我正學習自製冰淇淋呢！

如果我們很注意車子該加什麼種類的汽油，那麼為什麼不在選擇食物上聰明點兒呢！另外有一些飲料也是騙人的，如咖啡、可樂、酒這些實在不能算是食物，它們就好像小偷、强盜一般，但許多人却還主動地邀請它們到我們身體內肆意破壞。所以該特別留意我們所吃的食物，拒絕有毒的「垃圾食物」，並儘可能挑選自然、新鮮的食物。細讀食品說明及有關營養的書，願智慧的靈啟示你知道如何分辨，好建立一個健康的家庭。

第三章　默想神的話

「這律法書不可離開你的口，總要晝夜思想，好使你謹守遵行這書上所寫的一切話，如此你的道路就可以亨通，凡事順利。」（書一8）

亨通！凡事順利！這是　神說的：「凡事順利！」你只要牢牢記住就行了。雖然魔鬼會說：「哦！你將會失敗！」你卻要斥責魔鬼說：「不！我將會凡事順利！」

只要照　神的話去做——晝夜思想　神的話，留意去遵行　神的**一切**吩咐，你將會成功。

也許你丈夫正爲難你，但你能克服一切困難——因爲你願意照著　神的話去做，默想並謹守祂的命令。你會在一切屬於你的事上成功，也許你想要擁有一個幸福的家庭，你就會擁有；你想要有孝順乖巧的好孩子，你也會得到。

到底你想的是什麼呢？

聖經上說：「因爲他心怎樣思量，他爲人就是怎樣。」（箴廿三7）你怎樣想，事情就怎樣成就！如果你想：「我永遠做不到！」你就永遠做不到。如果你想：「我太老了！」你便是太老，「我太窮了！」你就總是太窮。「我又累又病！」那疲憊不堪就是你的寫照。

靈魂的門

我們的心靈是一扇隱藏的「門」，也是敵人喜歡攻擊我們的地方。這就是爲什麼 神再三强調，甚至命令我們多去思想。腓立比書四8：「弟兄們，我還有未盡的話，凡是眞實的、可敬的、公義的、清潔的、可愛的、有美名的，若有什麼德行，若有什麼稱讚，這些事**你們都要思念**。」

「人活着不是單靠食物，乃是靠 神口裏所出的一切話。」（太四4）我們的靈魂也需要食物。如果我們一點也不在乎靈魂所需要的適當食物，靈魂一飢渴有什麼便吃什麼，必會導致胡亂呑吃一些「垃圾食物」或「有毒食物」。

靈魂有許多「入口」或「門」，藉著這些門，靈魂可得到滋養或遭受毒化。聖經上說：「衆城門哪，你們要抬起頭來。」（詩廿四7）換句話也就是說：「要小心！」衆城門是指什麼呢？也可說是眼、耳和嘴。

你曾否見過有些人走路時垂頭喪氣的？經上的話就是對他們說的：「抬起頭來，永久的門戶。」意思也就是說：「要高興！要喜樂！」你知道當我們這樣做時，誰要來呢？「榮耀的王

將要進來。」（詩廿四7）榮耀的王是誰呢？「就是有力有能的耶和華。」（詩廿四7～10）

敵人也許會以不潔淨的思想來攻擊你，因此要認清它是從那來的，先不要自我定罪，而是要抵擋它。我的父親曾告訴我們，有時你無法使鳥不飛過你的頭，但如果容讓小鳥在你的頭上築巢，就是你自己的錯。

當你收到一封信，若你不想看，你有權利把它退回去。只要在信封寫上「拒收」或「退回原址」，根本不必打開看而徒增懊惱。同樣地，對付邪惡的思想也是如此，你可以說：「靠主的名，我拒絕這些邪惡的思想。」但要記住，腐爛的肉會吸引「蒼蠅」，仔細省察看看你裏面有沒有東西會招來「蒼蠅」，向 神認罪，祂是信實的，必要赦免、潔淨你（約一9）。主耶穌說：「這世界的王將到，牠在我裡面是毫無所有。」（約十四30）邪惡對耶穌來說是起不了一點作用的，「所以我們只管坦然無懼的來到施恩的寶座前，爲要得憐恤、蒙恩惠作隨時的幫助」（來四16）。我們該記住有一位大祭司能體恤我們的軟弱，祂也曾凡事受過試探與我們一樣，只是祂沒有犯罪。

你的心靈好像一個戰場，你的勝負完全取決於讓什麼由「門」進來，以及你如何裝備你的軍隊。當你看電視、報紙、廣告或雜誌時，是讓什麼思想跑入「門」內？不要讓敵人進來，它們會毒化你的靈魂。情慾（屬肉體的）就是你的敵人，而 神的靈，才是你的朋友。

聖經告訴我們：「情慾的事！都是顯而易見的，就如姦淫、污穢、邪蕩、拜偶像、邪術、仇恨、競爭、忌恨、惱怒、結黨、紛爭、異端、嫉妒、醉酒、荒宴等類……」（加五19～20）但「聖靈所結的果子，就是仁愛、喜樂、和平、忍耐、恩慈、良善、信實、溫柔、節制，這樣的事，沒有律法禁止」（加五22～23）。

系統讀經

如果我們變得憂慮、沮喪、易怒，很可能是由於我們的靈魂得不到飽足。你最後一次讀聖經是在什麼時候？這該是每天必行之事。有些基督徒告訴我說：「在我覺得想讀聖經的時候，我偶爾會讀讀。」難怪他們會遇到困難！聖經一共六十六卷書，應該訂好目標，有系統的去讀，規定自己在一定的時間內讀完一卷書。

學習去默想　神的話語，因爲聖經上應許，如果我們晝夜思想　神的話，祂必使我們道路亨通，凡事順利。如果你想要家庭幸福美滿，與人相處愉快，就依照這方式而行——晝夜思想神的話語。

我們先熟記　神的話語後，才能去默想。

聖經是你屬靈的食物，如果你的靈得不到食物，就會覺得飢渴，甚至百病叢生。所以最好是每天都能吃屬靈的食物——聖經。

聖經就像水一樣能潔淨我們。如果你幾天不讀經靈修，你就會全身骯髒。如果你每天不洗澡會怎麼樣？你自己都無法忍受，對不對？耶穌說：「現在你們因我講給你們的道，已經乾淨了。」（約十五3）

聖經就像一張地圖，可指引我們前面的道路，同時也是我們脚前的燈。

我父親的座右銘是「不讀聖經，不進早餐」，一頓豐富的屬靈早餐是一天之中最重要的一餐，就像車子加過油一樣——會開得順暢——不會整天怪聲作響。

我有一個幫助你讀經的簡單計畫。先每一天讀一章箴言，清早起來就開始讀。按照日期來讀箴言——例如今天是五號，就讀箴言第五章，六號就讀箴言第六章，然後接下去第七章等等，一個月就可讀完卅一章。

如此，每個月都能讀完一遍箴言，而且每次讀也會有新的感受。我父親王載博士在家中即採用這一種讀經方法（每天早晨讀五篇詩篇加上一章箴言，另外新約及舊約各二章）。

箴言告訴我們如何做人做事，給我們一些實際的原則，詩篇教導我們如何向　神禱告或讚美。

有些人讀經時不專心、不渴慕，以致愈讀愈沒興趣。如果你不專心尋求，你就不會有特別的亮光。

我們教會中有一位執事的妻子，曾對我說：「以前我眞的沒辦法叫我的孩子們去讀聖經。但現在若我不去嘮叨的話，他們可能會讀到凌晨一點。他們讀經時還會在每頁的聖經旁加上紅點呢！」原來在一次初中生的研經會時，小孩子們都得在聖經中尋找一些特別的東西，譬如神的命令、應許、神的名字等等。凡有關 神的命令就以紅色的小圓貼紙貼上。其他各種顏色代表各類不同的分項，例如：綠色——聖靈的果子；藍色——禱告；銀色——醫治、釋放及神蹟；黑色——驕傲、悖逆及謊言等。利用這種方法，孩子們會主動地去讀聖經。

約書亞記一8團契

當我們靈魂得到飽足後，口腹就不會有猛想吃的貪慾。

在某次聚會中，有一位重達三百五十磅的女士想減至一百五十磅。她已試過各種減肥方法並去過許多節食中心，但都沒有什麼果效，直到她開始背誦經文後才起了作用。

她決定開始背約書亞一8。這節經文對她來說，實在不容易背起來，結果她花了一整天的時間才背好，而且還得不斷地和魔鬼爭戰。她想：「這一定是一段特別的經文，因爲我背其他的經文都沒有這麼困難。」

結果一個月內，這位女士瘦了三十磅。

不管使用那種控制體重的「艮方」，靈魂一定得先掌管好我們的身體。如果靈魂不能防衛守住「門」，胖敵人一擁而入，你又會很快地回升到原來的體重！

有一天早晨在禱告會時，一位女士說：「我有一個代禱的要求，但不能說出是什麼。」

事實上，我不太喜歡不說清楚的代禱，因爲我想知道我在爲什麼禱告。我問主她想要什麼?主說：「她想減肥，但不好意思讓大家知道。因爲已提出這個要求太多次了，但從來也沒有減過多少。」我深深記得主說：「不靠減肥食譜，不靠運動，但靠我的靈方能成事。」

這位女士可說是減肥專家，知道各種減肥方法，但她自己一個禮拜最多也減不了半磅。我對她說：「如果我們想要去靠　神的靈減肥的話，最好站在　神這邊，照著約書亞記一8去做，看看結果如何。」「這律法書不可離開你的口，總要晝夜思想，好使你謹守遵行這書上所寫的一切話，如此你的道路就可以亨通，凡事順利。」

結果有五位女士加入「約書亞記一8團契」，而且決定一天背一段經文並且默想。當你開始思想　神的話時，你就是打開門到榮耀的王那裏去。如果你光是打坐、沈思而心中空白的話，那是很危險的。

你很可能會缺乏「守衛」，而打開你心靈的「門」，讓任何人，甚至邪靈找到一條進入靈魂的捷徑。　神應許我們成功，但只有在我們默想祂話語之下，而不是藉其他各種的靜坐途徑。

一個禮拜結束後，五位女士沒有經過任何節食方法而瘦了五磅。 神的工作不過才剛開始而已，但有些人因覺得一天背一節經文太痲煩了，結果不久五磅又胖回來了。

我曾求問 神：「爲何我們要注意節食和運動呢？」

以下是祂給我的答案：節食和運動就像『0』一樣，而 神的靈是『1』。如果只相信節食和運動，把聖靈放在最末一位，那麼我們就有0000001。結果正好：等於零。如果我相信 神，先追求祂的靈，把祂放在第一位，結果就變成10、100、1,000等等。「……因爲離了我，你們就不能作什麼。」（約十五5）離了主耶穌，我們就只剩下一大堆的零。（如果不以基督爲首位，我們的教育、學位、銀行存款、地位、經驗、人事關係都只有零。）

我對數年前我參加高比爾（Bill Gothard）青年問題座談會的印象非常深刻。當時約有二萬二千多人參加，其中有一萬人以前就曾參加過。時間安排得很緊湊，禮拜一至禮拜四，每天晚上三小時，禮拜五及禮拜六則全天。他的座談會在全美各大城市都舉行過，他並不是以音樂、獎品等爲號召，雖然學費不便宜，但全國各地青年人仍踴躍趕來參加。

比爾唸完小學一年級時，老師曾問他：「比爾，你願不願意再回一年級去當個領袖？」他由小學到初中畢業總是在「試讀」情況下升級的，雖然他很努力，但成績還是不理想。

有一天一位朋友跑來問他：「比爾，你願不願意和我同做一個計劃？」

「好呀！」

從此不論何時，只要比爾實行這個計劃，他就成績進步，身體健康，甚至在大學畢業時他還列為榮譽生呢！

每當他太忙而忽略這個計劃時，成績就下降！

你猜這個計劃是什麼？

就是背誦聖經，默想　神的話語！

比爾養成一個禮拜背一章聖經的習慣，第一章花了十八小時才背好，但現在他只需要三十分鐘，就可背好一章聖經了！

這個見證給了我很大的激勵，我也決定來逐章背聖經。結果我瘦了二十磅，背經除了可幫助控制體重外，還有許多其他的益處，　神賜下更多喜樂及力量來幫助我做種種煩瑣的家事。

為什麼大多數人會吃得過多？因為很多時候他們沒有安全感、缺乏愛及別人的關注，有時苦悶也會令一個人開始不停地吃、吃、吃！

你可以說：「我不在乎我多重，我也不在乎別人怎麼說。」但講這話就是有賭氣的味道。心中充滿悖逆，就會一意孤行，暴飲暴食，體重直線上升。

怎樣才能解決這個問題呢？只有靠著聖靈的幫助！

神能夠給你正確的態度和思想，聖靈的果子之一就是節制，有了節制後，你就能抗拒食物說：「我不需要它，我也不吃它。」

背誦並默想　神的話能潔淨你，使你心意更新，領受從　神而來的態度和思想，停止再倚賴食物來滿足你的需要，你能由　神的話語得飽足。當你覺得自己太好吃時，就將　神的話當食物吃下，你的身體及心靈都會得到滿足。以下是貝妮的見證，看她如何來面對體重過重的問題：

我已經試過各種節食方法却都沒有效果，我的醫生甚至不再跟我提及節食的事。有一天，我的禱告同伴提醒我說：「你有沒有覺得　神要你依祂的方式而行，你可能忽略了？」所以有一天，我實在急了，就對　神說：「好吧！主，祢如果要我這下半輩子都像現在這樣癡肥的話，我就完全忘掉節食這回事，也不再試了。」

一個月後，我去看一位朋友時，她提到幾天以前聽到美溢講過以默想經文來減肥。我回家後便打電話給美溢，但沒聯絡上。後來，我找到了美溢，她還特別告訴我，要祈求聖靈告訴我該背多少經文，因爲背的多寡往往因人而異。

我一向不擅於背記，實在沒把握自己能把經文背下來，但我決定試試看。第二天早晨起來後，主告訴我該背的是三節有關爭戰的經文，如藉著　神的大能攻破堅固的營壘等等。讚美主，這正是我需要的，主告訴我將這些經節寫下，然後一次背一節。

第二天早晨，我又背了六節。這樣繼續下去，一個禮拜之後，我已背了四十節經文。要是一開始我想到自己要背這麼多的聖經經文，恐怕早就嚇昏了。其實一早起來就開始背誦的話，那並不難，但如果一早起來先和別人聊天，或做別的事情，然後再背誦，那就很難背起來了，不久我發現自己竟瘦了五磅！

後來我因一點小毛病，去看我的醫生，他卻對我說：「我要你開始照減肥食譜吃！」以前爲節食的事，我已求過他足足二年了，他都不答應。以後我繼續默背經文，醫生對我減肥的進展感到很驚奇。

特別值得一提的是，大約過了三個月的時間，當我再回頭看時，發現　神是藉著這種背經方法給我訂下生活的準則。祂已使我將整本聖經略讀一遍，由舊約到新約，像一條不斷的線將經節都串連起來；當時我不太明白，現在回想起來，祂是以一種特別的方式，在我心中動工。當我遇到交通阻塞時，仍可安靜地在車裏坐著默想　神的話，一點兒也不覺得煩躁；當你在接送小孩子上、下學，或任何必須等候的情況下——如果你已背住　神的話，這會是一段奇妙的時間，聖靈將繼續在你心中動工。

我還要繼續減肥十五磅，但我很高興現在女兒的衣服我也能穿了，我與我女兒都有同感，這一切實在太奇妙了。

體重控制法

在此建議一些控制體重的方法。（不過先要確定得到你的醫生的許可）

力行的方面包括：

一、每天早餐前先量體重（記錄在一本日曆上）。
二、每天讀一章箴言，尋求智慧。
三、記下你吃的東西及喝的飲料，算出每天所吃下的蛋白質、澱粉質及卡路里。
四、每天背一節經文，由「約書亞記一8」開始，求　神來引導你該背那節或那段經文，讓你的心中充滿　神的話。
五、默想你已背過的經節，在洗碗、運動、煮飯，或搖小孩睡覺時都可做。
六、每頓飯後服用卵磷脂。
七、喝大量的水。
八、服用維他命補充體力。
九、唱出詩篇一四一3的禱告（可自己編調）。
十、盡量放鬆心情，常常喜樂！每天淋浴或有時不妨來個泡澡，享受一下。

禁忌的方面包括：

一、不可抵擋　神的話。
二、不吃「騙人的食物」。
三、三餐之間不吃甜品、零食。（當你達到正常體重時，你只能嚐一口你丈夫的甜點。）正如一位佈道家曾說：「就只能一口！如此而已！」

四、不要省掉一餐不吃（除非你正在禁食禱告），因爲到頭來你可能只是自己欺騙自己。

五、不要說：「主！我不能。」要說：「主，幫助我。」

六、一次不要吃超過十卡路里（如果你想吃個香蕉，大約有二十八卡路里。只先吃三分之一，等一小時後再吃三分之一，再等一小時，吃最後的三分之一）。

七、試試看以雞和魚來代替牛肉。

八、不要自欺，乖乖地記下體重及所吃的食物。「詭詐的天秤爲耶和華所憎惡，公平的法碼爲祂所喜悅。」（箴十一1）

九、不要自憐，神是眞正愛你的！

十、不要吃兩片麵包夾成的三明治（一片麵包就含有十一卡路里），試試看只吃一片麵包，或者用萵苣菜來代替麵包，我稱這種三明治爲「蜜月三明治」（按英文 lettuce 音義即 let-us-alone，就我們二人吧！）先用一片乳酪把雞肉、鮪魚或沙拉等捲好，再拿一大片萵苣葉裹在外層包起來。

神的話實在是太寶貴了！我們隨時帶現金、支票或信用卡以備不時之需，爲何不帶天堂的信用卡、神的應許及由上頭來的智慧呢？這些豈不比口袋中的金、銀更有價值嗎？最好隨身帶一本口袋大小的聖經。如果你離家在外發生任何事時，聖經不僅是我們的食物及甘泉（能潔淨），也是我們心中的詩歌、力量和完全的安慰。

第四章　維他命A——彼此接納

「維他命」對美滿的婚姻非常重要，在本書中我要討論四種維他命：A、B、C、E。

維他命A對眼睛有益，而且會使我們有健康的皮膚。

屬靈維他命A的來源就是接受耶穌爲個人的救主。沒有祂，你就不易接納你自己或別人，這是維他命「A」的根源。

「維他命」對我們身體及心靈都十分重要，其中維他命A稱之爲「接納」（Acceptance），「你們要彼此接納，如同基督接納你們一樣」（羅十五7）。

學習去接納　神造我們的本相，這點非常重要。如果能做到這點，你就已經打贏了這一仗。許多時候，我們不斷地掙扎，只因我們無法接納自己，認爲自己太醜、太高、太矮或那裏不對勁，我們不願接納自己的本相。

我們必須了解　神造人各有不同個性，面貌、高矮、胖瘦也因人而異，我們必須接納自己說：「這就是　神造我的樣子，我很喜歡！」如果做到這一點就可以解決許多問題。

不要企圖改變對方

至少下一步，就比較困難了。

「好了，」你說：「我已學會接納我自己，但我不能忍受我的丈夫！」我們要學習去接納別人。如果你有一隻羊，你就接受羊的樣子，你不會期望羊變成馬或金絲雀。男人與女人之間有極大的差異，你丈夫和你一定大不相同，因爲　神造他原就是不同的。男人有男人的見解和感受，如果我們堅持他們一定要像我們女人一樣，一旦有什麼不同之處，就認定那一定是他們的錯，這樣一來，雙方都將痛苦不堪，因爲我們永遠都在試著要改變他們。

你能改變你的丈夫嗎？唯一能改變他的時候，是當他仍在母親懷中時，但現在他已長大成人，唯一能改變他的，只有　神。

許多太太對待他們的丈夫，常像對待自己的子女一樣，這是極大的錯誤。母親教育子女本是理所當然的，但因她們已習慣對孩子發號施令，結果把自己先生也當成「孩子之一」來支使。我曾聽人說過：「哦，我有四個男孩，我先生是其中之一。」這點實在侮辱　神及　神所造的男人，聖經上說女人應該尊重她們的丈夫。

如果你喜歡在衆人面前批評自己的丈夫，那麼他的毛病就會加倍。如果你想要他有所改變的話，除了　神，不要對任何人說；而且，你應該感謝　神，藉著你的丈夫幫助你也學到一切功課，看到自己的缺點。

如果你覺得自己的婚姻無可救藥，仍要振作起來！看看下面這位太太的見證，她的婚姻可說是起死回生：

你一定想像不到在結婚十八年後，竟然還會再有一年半的蜜月！這就是在參加薛師母的座談會後，我們的生活有了天淵之別的寫照！

我們倆都是基督徒，但突然間　神在我生命中作了極大的改變，我開始對　神有新的認識，仔細閱讀聖經，常常覺得有新的亮光，我不禁對主發出讚嘆：「主，這類經文，我以前怎麼都沒見過？」但是，我丈夫卻不是如此，他當時並沒有經歷這種生命上突然的改變。

因此，我變得非常喜歡批評、挑剔，對丈夫的態度就像對我的二個孩子一樣。在許多小事上，我都試著讓他知道什麼是對的，什麼是錯的，常常和他意見相左。事實上，我知　神正開始動工，暴露我犯的種種錯誤，潔淨我的生活，但是我卻更進一步假定我丈夫也可能犯下與我同樣的錯誤，而想去教訓他、使他明白，就像教訓自己的孩子一樣。結果，卻是適得其反，我的丈夫開始抗拒　神。

主告訴我應該接納我丈夫的本相——即使他與　神的關係不好，那也是他和　神之間的事。

我開始接納我丈夫的本相，並且發現只要自己不斷地愛他，不必操心他生活中有那裏不對勁。我與別人分享這些感受之後，看到別人也在這樣的事上蒙福。最重要的是，我看到丈夫開始挺起胸來，因我心中不再定他罪，嘴上也不諷刺他；這和我以前的言行剛好完全相反，我以前總想讓他知道我是家中屬靈生活之主，靈性比他高、知道的事比他多、讀聖經也比他勤快。

我忘了最重要的是　神命定他成為一家之主，他沒有很好的領導能力並不能否定他的地位，即使我想去取代，他仍是一家之主。

我終於放下自己的努力，耐心地等候他再重新拾起一家之主的地位及職責。他靈命成長的過程與我不同，現在他的長進神速，我還在學的功課，他早已知道了。

我們對自己丈夫的態度，往往反映出我們對　神的態度。你也許不願如此承認，你也會說：「我愛　神，但我不能忍受我的丈夫。」但聖經上說：「不愛他所看見的弟兄，就不能愛沒有看見的　神。」（約壹四20）所以你要操練自己，愛你的丈夫如同愛主一樣。

聖經上又說：「順服你的丈夫，如同順服主。」但你會說：「我也要有同樣的權利，我要平等，我和他一樣的聰明，甚至比他能幹！」主耶穌也有同樣的權利，對不？祂和　神同等，但祂願意卑微自己，取了奴僕的形像，成爲人的樣式。「……就自己卑微，存心順服，以至於死，且死在十字架上。」（腓二8）

當一個人被接納之後，心中就有了改變，他會努力變得更好。但當你不接納他時，他就會覺得受挫，「有什麼用？不論我做什麼，都不對！」他不是放棄，就是反抗，故意和你作對，如果你讓他知道你接納他，就會有奇蹟出現！

有時候我們想：「哦！我丈夫驕傲得不得了，他既不看聖經，也不禱告。」確實，聖經上告訴我們驕傲的人是不會尋求　神的。但我們將以善勝惡——「你不可爲惡所勝，反要以善勝惡。」（羅十二21）有時候，如果丈夫仍然驕傲，就表示妻子還不夠柔和、謙卑。

我們要先主動尋求柔和、謙卑，驕傲就是魔鬼用來毀滅一個家庭的武器。如果夫妻二人都氣焰囂張，互不相讓，結果會一直吵到離婚。但有智慧的人會先屈服下來，拒絕給驕傲留地步，在驕傲的背後，通常是一個女人不能接納他丈夫的本相。

接納對方的原則

㈠除去你自以爲義的態度——這是最重要的一條。你知不知道自以爲義比你丈夫的錯更可怕？神關心的是你是否有謙卑的態度？而非你丈夫的缺點。

你知道你丈夫爲何總是錯嗎？因爲你總覺得自己是對的，愈覺得自己對，就愈覺得別人錯。但你可以開始想：「我也有錯，或許比他還糟，我的驕傲比他不撿起臭襪子更糟呢！」

有時候丈夫是在等太太認錯。我聽過很多先生說：「她絕不認錯，她就是這樣自以爲是！」

㈡要看重對方的優點，讓基督在他身上彰顯。

儘量不去放大對方的缺點，多想他的優點。我們每個人都不是十全十美的，譬如看一個甜甜圈，樂觀的人是看到一個完整的甜甜圈，而悲觀，消極的人只看到中間的圓洞。

維他命A能給我們這樣的眼力。「耶和華阿，求祢記念祢的憐憫和慈愛……求祢不要記念我幼年的罪愆和我的過犯。耶和華阿，求祢因祢的恩惠，按照祢的慈愛記念我。」（詩廿五6～7）

我們可以讓光明或黑暗充滿家中，「願一切尋求祢的，因祢高興歡喜，願那些喜愛祢救恩的，常說：當尊耶和華爲大！」（詩四十16）不要放大丈夫的缺點，要尊他心中的耶穌爲大！我建議你一個功課：在家中每一盞燈的開關上都貼個警句標語，例如：「願　神興起，使祂的仇敵四散。」「讓基督的平安在你們心中作主」、「彼此相愛」等，當我們尊　神爲大，讓耶

穌當一家之主時，光明就充滿家中！（請見索引：光明的行爲）

一個家庭的氣氛常操縱在主婦手中，如果你是整天悶悶不樂、挑剔、批評、埋怨、不滿，整個家庭都會受影響，沒有人能得到安寧。省察我們自己，看看是不是有積極樂觀的思想。

你可以玩一種遊戲，假設有一些小士兵在你心中，你命令說：「今天我們要去思想這些眞理、誠實、正直、純潔、美善的事等。」這些士兵就會爲你戰勝；如果你只想些痛苦、不順、醜陋的事，你馬上就會倒下、枯萎，因爲你完全沒有力量，也不知怎樣去得勝，你已讓消極思想腐蝕你自己，自然註定要失敗。

事實上，體內所有的細胞都是一些士兵，他們可爲我們而作戰。有些人心中充滿仇恨，不願原諒別人，以致身體上出了毛病，因爲他們體內細胞已停止工作，自然不易擁有一健康的身體。假如你已看到這一點，就認罪禱告說：「主，我做不到！但祢是　神，祢能！求祢將怨恨、苦毒等連根拔起，完完全全地除去，潔淨我，讓我重新成爲一個健康的人。」你將會比以前更健康、快樂，自然也會帶給全家人好的影響。

如果你渴想丈夫的愛，而他卻說：「我怎會去愛一個刺蝟，全身都是刺，常常刺痛我！」丈夫巴不得躲開你，而你又因得不到他的關心而生氣，這就是一種惡性循環。

誰能停止這種惡性循環呢？

只有你自己！

「好吧！從今以後我不再是刺蝟了，我要成爲一個有智慧的婦人。」你會很驚奇地看到你丈夫的轉變。

㈢避免喋喋不休

女人的問題在於她們喜歡指使人，我以往也有這種傾向，後來終於覺悟過來，發現自己以前是多麼愚昧。有位太太對我說：「美溢，我發現自己總是愛發號司令。」好的開始，是成功的一半，如果我們毫不自覺，還說：「哦！我不會這樣。」那我們就仍有問題。

大多數女人喜歡指使人是由於母性本能的緣故，但我們的角色不單是母親也是一位妻子。一位母親必須知道如何命令子女，但一位妻子則絕不能對丈夫如此，我們應該順服，敬重我們的丈夫。

試試來唱「我不再嘮叨」這首歌，連唱一個禮拜。

就是這日子，這日子，
這是主所定的日子，主所定的日子。
我不再嘮叨，不再嘮叨，
在其中要高興歡喜，在其中要高興歡喜。
這是主所定的日子。

在其中要高興歡喜。

我不再嘮叨，不再嘮叨。

在其中要高興歡喜。

連續一個禮拜操練自己學會這個眞理，萬一破了例，就從頭再來，這樣可除去你的壞毛病而重新建立好的習慣。

有一位太太的丈夫不是很體貼的人，而她却很渴望他的關注。每天早上，他只說聲再見就上班了，她決定保持沈默，也不抱怨，將一切交給主。有一天，她丈夫已上車正準備離去時，聖靈却提醒他：「你回到屋內，親親你的妻子。」　神賜給她所渴求的。**你不必爲自己爭什麼權利，只要學習相信主，順服主就行了！**

當你不斷付出更多的維他命A（接納及欣賞）時，他決不會嫌煩。事實上，他很可能會更謙卑，心想：「哦，我還不知道我太太這麼看重我呢！」這樣他心裏會覺得很舒服。有位女士曾告訴她丈夫說：「我不會再天天發號司令，抱怨你了，」「那如果我做錯了事，怎麼辦？」他丈夫問。「那是你和　神的事。」太太回答說。他一旦負有更重的責任，就會眞正去尋求主，如果他失敗了，那是他和　神之間的事，你不必多操心。

如果你想取代　神的地位，反而會激怒你的丈夫，你說的每件事他都不會聽得進去。你愈說：「哦，去教堂吧！」他愈是不去，只因他不想要你告訴他該做什麼。 神會告訴他該做什麼，因祂是父 神，有這權柄和地位。想想看，你也不喜歡孩子們對你說：「媽，你去做這個，做那個。」你心中必會納悶：「他是誰，竟這樣對我說話！」。

以上這一些並不表示一個妻子不能給予丈夫任何建議或勸言，但在做得合乎中道之前，她必須先學會完全控制自己不發號施令。因你已習慣支使人，所以得來個一百八十度大轉變。

當你丈夫覺得你是個有智慧的婦人時，他自然會回頭來徵求你的意見，你不必焦慮， 神總會讓這一天來到的。

領導證書

很多女人想與男人爭平等。我們知道男人和女人同樣需要 神的恩典及慈愛。但 神造男人爲女人的頭，因此在地位上就無法平等。至於婚姻關係，將來在天上不嫁也不娶， 神是要藉婚姻來操練我們更明白教會和基督的關係，我們和耶穌的關係就如同我們和丈夫的關係一樣。

我們和我們的丈夫的關係該如何？你相信要讚美主嗎？你說：「主，我愛祢，祢是奇妙的，我敬拜祢！」告訴主這些，祢不會覺得不好意思。撒拉稱她的丈夫亞伯拉罕爲「主」，我們的丈夫是我們的主，順服丈夫就是順服主，如果你無法順服丈夫，就不是眞正順服主，因爲順服丈夫是　神的命令。

不要說：「哦，我必須順服我丈夫！」好像咬牙切齒、苦不堪言一樣。告訴　神：「我能讚美主，我也要讚美我的丈夫。」我們怎能一方面去讚美教會的頭——基督，而另一方面又刺傷教會的肢體（丈夫）呢？如果這樣的話，頭（基督）也會跟著痛的。

如果讓丈夫爲頭的話，我們就不會頭痛了，否則你眞會頭痛不已！

有些時候丈夫不能早日接受主，往往是因爲主要先讓妻子學會一些功課。

我們有時太自以爲是，以致丈夫們討厭教會。不要讓你先生認爲他是大罪人，你是不是愛指使人？你是不是個嘮叨的太太？如果是的話，就表示你還沒有聽　神的話。因主是不喜歡你嘮叨，趕快請你的先生原諒你，也許有一天早上他醒來，會說：「這是教會教你的嗎？我想去教會看看！」

不必太自責，只要說：「主，我是敗壞的，感謝祢，我學到一些功課，我準備努力去改。」你就會成功。

在一次婦女研討會上，我分享我的領導證書，也許每個妻子都可以去照做一個。證書上說：「我承認我丈夫是一家之主，即使我不同意他，我仍支持他的計劃和決定，我百分之一百支持他！」我把我丈夫的照片放在上面框了起來，放在臥房裏（我要確定順服對了人）。我曾說過：「如果你願意順服主，你的丈夫就會因你而蒙福。」有一位猶太籍的女士就決定做一份這樣的證書給她丈夫當聖誕禮物，結果到了感恩節時，她的猶太籍先生對她說：「我因你而蒙福，神給我最好的妻子。」三個月後，他接受主耶穌爲主。

我也送我丈夫一根木杖，上面寫著：「權威之杖——我的主薛春桐」

我問我朋友：「你覺得這木杖怎麼樣？」

「我不喜歡它，看起來很可怕。」

「那完全在於你怎麼想，對我來說這是一隻牧人的杖，提醒我主是我的牧人，祂的杖及祂的竿都安慰我。牧者不是用杖來打我的頭，而是趕走敵人，如熊、獅子和狼等。這也是步行的好手杖，有引導和保護的作用，就像是我的丈夫，他引導我、保護我，也供應我一切需要。」

當我把這「權威之杖」交給我丈夫時，生活上起了許多奇妙的變化，他說：「結婚二十二年，我總算等到我的權威之杖！」

現在他比以前更快樂，家中也更安寧了，我不必再和他爭執，他已有了權威之杖。（如果你們夫妻不斷爭執，結果只是一場大戰，兩敗俱傷。）

如果你丈夫說：「我的襯衫呢？你洗了沒？」你只要說：「我們找找看！」而不必說：「你不會自己去洗衣機後面找找看！」只同意而不爭辯。「說話浮躁的，如刀刺人，智慧人的舌頭，却爲醫人的良藥。」（箴言十二18）溫柔的舌如同良藥，我們給予家人最好的食物就是

——溫和、良善的舌頭。

如果你交給你丈夫「權威之杖」，即表示由他負起領導的地位，因你的鼓勵會使他更有智慧。一旦他做了任何不智的決定，你仍要說：「不論他說什麼，我都支持他，」不久 神就會插手進來說：「我絕不能讓這『頭』走錯，因爲以男人爲一家之主是我的主意！」

我鼓勵你向你的丈夫認罪，爲以往你造成的種種錯誤而道歉，特別是爲你沒有讓他作一家之主這件事。

當然夫妻雙方都會有錯，但不必理會你先生的錯——只管你自己的錯就好，事情就會有改變。

有位太太鼓不起勇氣向她先生認錯，她想乾脆打電話吧！總比沒說好。他先生簡直被她融化了，她承認以往常支使他的種種錯誤態度；接著又向她先生說，她只想成爲一個好妻子，盡力使他快樂，結果她先生回家時，竟送了一套漂亮的新衣給她！

有些太太哭訴說：「我丈夫一點也不老實，到處拈花惹草。」我想這也許是因為其他女人，已很聰明地給了他維他命A了。

如果你從不給維他命A的話——他就會飢不擇食；如果你不供應他所需要的——你等於把他從你身邊趕走。我不是說他不忠實是對的，但主要是說你如果有智慧的話，你就會給他維他命A，不要讓別的女人去做，你自己來做！他會覺得你實在是世界上最美妙的妻子，決不會再有歪念頭！

有位太太垂頭喪氣地來找我，因爲她丈夫要跟她離婚，而與他的女秘書結婚。她覺得整個人快要崩潰了，我安慰她說：「只要有　神，就會有希望。」祂是行神蹟奇事的　神，能將咒詛變成祝福，將黑暗變成光明，在　神無所不能，只要相信祂！

這位太太接受了主耶穌爲救主，照著聖經所教導的原則去做。六個月後，我又遇見她，她笑得合不攏嘴，「怎麼回事？」我問她。「看看我的戒指，我的丈夫與我重歸和好了！」她說。

有些人會說：「哦！我知道你所教的是對的；但我從來沒有接納我的丈夫，現在一切已太遲了！」

通常我會對那些仍擁有丈夫的說：「去拜訪一位寡婦吧！也許你會得到一些啓示。」不要等到一切都太遲的時候，現在就給你丈夫最好的一切。現在就拿出你最好的餐具，不要總是等有客人來時才用，你丈夫是你生命中最重要的人，待他像一位國王吧！

愛的語言

讓你丈夫聽到你一切的甜言蜜語！

有位太太說：「哦！我實在該爲這點禱告，因爲我從來不會對我丈夫說半句好話，我不願成爲一個巧言令色的人。」

我不是要她成爲虛僞的人，也不希望你口是心非，但你可以禱告：「主，求祢幫助我能由我心底說出一些好話來。」

這位太太禱告　神，主就告訴她該說些什麼。有一次她對她丈夫說：「你穿上這件襯衫眞好看，和你藍色眼睛很相配！」她是誠心誠意的，以前她從未用心或努力留意自己所說的話，結果這一次使她丈夫高興了一整天。

男人渴望你的欣賞。女人希望被憐惜，但對一個男人而言，**能被欣賞就是被愛**。想想你丈夫的優點，如果你想不出來的話，向　神禱告，祂會告訴你的。回想你們戀愛的時候，你興奮地等待第一次約會，他一定有什麼吸引你的地方，否則你不會嫁給他，那時你多麼欣賞他，現在再試試看吧！

你給孩子們的最好禮物，就是當著他們面前表達你對丈夫的愛與敬重，他們知道父母相愛，就會產生極大的安全感。有位青年對我說：「我父母不同房，這是最令我傷心的，他們從不溝通，也從未好言相對。」

有位太太抱怨她先生不幫忙倒垃圾，常要她不停的催促，甚至最後還是她自己去倒。所以有一天她想：「如果我稱讚他，他一定馬上看穿我的動機！但，反正我正在學這功課，就試試看吧！」她對丈夫說：「如果你願意成爲我的『男子漢』幫我拿垃圾出去的話，我眞的很感激。」自從這天起她丈夫天天幫她倒垃圾，因他喜歡她叫他「男子漢」！

我知道很多男人能做的事，女人也能做。但還是學得有智慧些，讓丈夫知道他是被需要的。給他地位，多讚美他，告訴他你多麼感激他，這是表達你欣賞他的方式之一。

第五章 維他命B——内在美

維他命B可以促進美容，對神經健康、消除粉刺和減肥都有幫助，肝臟、食用酵母（見第一章）及小麥胚都含有豐富的維他命B。我把小麥胚及食用酵母放在一有小洞的小玻璃罐裏，擺在桌上，這樣可以鼓勵家人隨手在果汁及飲料中都撒上一點。

食用酵母有一股強烈的味道，剛開始會令人難以忍受，但我們可以慢慢適應，當你看到它有這麼大的果效，你就會試著去喜歡它。缺少維他命B會引起沮喪、緊張、易怒及疲倦，人自然也美不起來。有位女士打電話問我：「如果每隔一陣子，就情緒低潮，怎麼辦？我已經吃了一個禮拜的食用酵母，是不是該見效了呢？」告訴她：「維他命B確實有效，但不能期望在一個禮拜內出現奇蹟——食補不是全部的答案。」

我們需要另一種屬靈的維他命B——聖經（Bible），如果我們不順服 神的帶領，輕易敞開自己讓敵人攻擊，很容易就會陷入消極沮喪、軟弱無力中。

若我們每天讀聖經，靈魂得到飽足，自然會產生積極的人生觀。一顆得著滋潤的靈魂，決不會感到煩悶、消沈或憂鬱。屬靈維他命B最豐富的來源就是　神的話，所謂「內蘊於中而形於外」，有了內在美，外表看起來自然很動人，而且這自然美是與日俱增的。

但若光是讀　神的話而不去行，對我們一點好處也沒有，我們不但要聽　神的話，而且要照著去做才行。

「太初有道，道與　神同在，道就是　神。……住在我們中間，充充滿滿的有恩典、有眞理。」（約一1、14）這裏的「道」是指耶穌，祂道成了肉身；耶穌又是整本聖經的中心，祂能使人變得更美麗。「祂要用救恩當作謙卑人的妝飾。」（詩一四九4）耶穌說：「我心裏柔和謙卑。」（太十一29）因此當我們心中柔和謙卑時，「美」自然就流露出來了。

「美」的眞義

在我家中，老大是男孩，接著是三個女孩，我排行第四，我快出生時父母都希望我是個男孩，在他們重男輕女的觀念中，兒子值「萬金」，女兒只值「千金」。

我的名字是單名「溢」，很像男孩子的名子，也是「滿溢」的意思，意謂著太多女兒了。

感謝　神的恩典，祂祝福我並使我喜樂滿溢，這個「溢」字和詩篇廿三5「我的福杯滿溢」的「溢」字是一樣。小的時候我不喜歡這個男性化的名字，決定加上一個「美」字叫「美溢」，我喜歡美的人、事、物。在一次婦女講習會時，一位女士建議說：「你寫寫你的中文名字好嗎？」當我在寫「美」字時，聖靈啓示我這字的意義。中文「美」字是由兩個字合起來的，上面的字是「羊」，下面的是「大」。**當我們的心尊　神的羔羊爲最大時，主耶穌的柔和、謙卑就在我們身上彰顯出來了，那時我們就能流露出眞正的美！**

紐西蘭是個羊比人多的國家，在那兒，我們眞正瞭解到羊的柔順。有一次，我們懇請一位牧羊人讓我們參觀羊被宰殺的情形，主要是爲了體會主爲我們死在十字架上的恩典。我們到羊場看到整個宰殺過程，羊並沒有一點掙扎的跡象，聽不到一點哀嚎的聲音，牧羊人用刀割斷羊的喉嚨，羊也靜靜地躺下……多麼柔順的景象。

舊約中有許多獻祭的牲畜，我們的主卻將祂自己比作一隻獻給　神的羔羊：「看哪！　神的羔羊，除去世人罪孽的。」（約一29）「祂像羊羔被牽到宰殺之地，又像羊在剪毛的人手下無聲，祂也是這樣不開口。」（賽五十三7）祂從不爲自己辯白，被殺的羔羊是配得榮耀的！（啓五12）

第六章　維他命C——基督的平安

維他命C——安靜在基督裏（Calm in Christ）

有人說每長一歲，維他命C的服用量就要增加一點。我喜歡稱維他命C爲「安靜在基督裏」，隨著年歲的日增，我們更加需要主。

當你緊張或煩躁時可對自己說：「我現在應該多吃一些『維他命C』，如果我以基督的心爲心，有神的同在，我根本不必爲任何事煩惱不安，因基督會掌管一切。」當我們以基督的心（謙卑）爲心時，就會有平安。耶穌說：「凡勞苦擔重擔的人，可以到我這裏來，我就使你們得安息。我心裏柔和謙卑，你們當負我的軛，學我的樣式，這樣你們心裏就必得享安息。」（太十一28～29）當你心裏得安息時，就不會緊張、焦慮了。你不需要用鎮靜劑來幫助入睡或用咖啡來保持清醒，你必安息而且遠離疾病。（disease 疾病這字拆開來就是沒有安息之意

——dis-ease，當我們焦慮不安時，自然就會生病。）

有一次我們去外地旅行佈道三個半月，剛回來就遇到一些「造珍珠」的情況（令人極不好受的情況），但這是　神用來使我們長大成熟的方法。當時　神清楚地教導我：「不要讓任何人或事奪走了我賜給你的平安！」就好像有人給了我一顆耀眼的鑽石，對我說：「好好保存，別讓人偷走了！」我的維他命來源就是基督的柔和謙卑。

我們女人常常容易緊張，主要是因爲擔下許多不屬於我們的責任。你丈夫的舉止不是你的事；家中有客人時，他來不來幫你忙，都不是你該管的事。

聖經上也告訴我們：「又要叫基督的平安在你們心裏作主，你們也爲此蒙召，歸爲一體，且要存感謝的心。」（西三15）

維他命C——教會（Church）

維他命C也代表我們自己的教會——基督徒不是靠自己成聖完全，這是十分重要的觀念，我們需要「肢體」——弟兄姊妹們——來使我們完全。我們不可能靠自己在基督裏長大，而是靠教會中弟兄姊妹來幫我們磨平個性上的稜角。不論何時，若有人的個性令你不快，請記住是神把你們擺在一塊兒的。我們看不順眼的人，就是　神用來使我們謙卑，使我們認清自己本相的人。

如果我們肯學習尊重基督在每個人身上的工作，就會得到我們的維他命C。有些人遺漏了維他命C——他們認爲：「哦，我已經有了聖靈，不需要別人來告訴我什麼，我可直接由　神那裏領受。」這樣走叉了路，終有一天會發現自己缺乏維他命C。

維他命C——溝通（Communication）

人與人之間彼此缺乏溝通，丈夫、妻子、兒女間彼此不說話，也不試著去了解對方的感受，常會導致關係破裂。我稱一顆好的維他命C爲10／10，花十分鐘去享受你的感受，不論是說出來或寫下來。你可談談有關你童年時代內心深處的寂寞或尷尬的時刻等，這是一種非常好的溝通（請看包約翰所著「生活在愛中的秘訣」一書）。

丈夫和妻子能在　神面前跪下一同禱告，這是彼此溝通最奇妙的方式。二人可先在　神面前冷靜下來，心平氣和的交通問題，並把它帶到　神的面前！有句話說：「一個家庭能同心禱告，就會永遠在一起！」

第七章　維他命E——能力的來源

得到智慧和能力的最好途徑就是先被聖靈充滿，這是每個　神的兒女都應有的經歷。

神命令我們說：「不要醉酒……乃要被聖靈充滿。」（弗五18）這不是一項選擇，而是基督徒必備的基本條件。特別在耶穌再來前的末後世代，具備聖靈的能力是非常的重要。我們需要有超自然的能力去對抗超自然的邪惡力量，撒但知道自己日子不多，正在全力反攻，而　神正用聖靈的力量對抗撒但的攻擊。

聖經上記載，一旦被聖靈充滿就會有神蹟奇事發生：「他們就都被聖靈充滿，按著聖靈所賜的口才，說起別國的話來。」（徒二4）這是屬超自然的事！

被聖靈充滿而說起從未學過的語言，是順服聖靈的帶領、讓聖靈掌管我們後自然發生的，並不是憑著我們的悟性去做的。

然而攔阻我們得到這種祝福的原因之一就是——懼怕。我們懼怕得到　神所賜下的禮物，這種懼怕是來自撒但。「　神賜給我們的，不是膽怯的心，乃是剛强、仁愛、謹守的心。」

（提後一7），「愛裡沒有懼怕，愛既完全，就把懼怕除去，因爲懼怕裏含著刑罰，懼怕的人在愛裏未得完全。」（約壹四18）聖靈是耶穌送給我們的一個禮物，沒有什麼好怕的，但撒但卻要恐嚇、欺騙我們，牠痛恨　神的兒女說方言，因這是對付牠的一個強有力的武器。

我聽說英國女王所發的請帖就是「命令」，是不容拒絕的。你想我們怎麼能拒絕　神的邀請呢？耶穌說：「人若渴了，可以到我這來喝，信我的人……從他腹中要流出活水的江河來。」（約七37）

另外　神也很肯定的說，當我們求聖靈時，祂不會拿不好的給我們：「你們中間作父親的，誰有兒子求餅，反給他石頭呢？求魚，反拿蛇當魚給他呢？求雞蛋，反給他蠍子呢？你們雖然不好，尚且知道拿好東西給兒女，何況天父，豈不更將聖靈給求祂的人麼？」（路十一11～13）

以靈敬拜

「　神是個靈，所以拜祂的必須用心靈和誠實拜祂。」（約四24）　神在尋求眞正敬拜祂的人。如果你只知道用誠實，而不知用靈來敬拜的話，你只是跛足而行！怎樣用靈來敬拜？「我若用方言禱告，是我的靈禱告，但我的悟性沒有果效。這卻怎麼樣呢？我要用靈禱告，也要用悟性禱告，我要用靈歌唱，也要用悟性歌唱。」（林前十四14～15）以靈禱告時，對悟性沒有任何作用，但確是具有極大的能力及信心。　神正要告訴我們：「**你的悟性並非所有一切，你的靈更重要。」**

有時候我們的悟性從中作梗，以致我們無法為許多看來不可能的問題禱告。所以　神就說：「以靈來禱告，」聖靈會為你代禱，這樣心情才會放鬆下來，充滿平安及喜樂，而不再憂慮。

以靈禱告就像對主說一種愛的密語，沒有人能插進來，甚至連魔鬼也不能！而且當你以靈禱告時，並不是搬弄是非。如果你知道你丈夫或別人有不對的時候，不必談出來，只要和一羣人共同禱告而不生是非，以方言禱告，　神知道你在說什麼。

舌頭可以控制我們整個人的言行。我們也許會對　神說：「主，我愛祢，我願獻上自己當作活祭，但我要保留我的舌頭，讓我隨心所欲的說話。」這完全不是　神所要的，祂說：「只要將你的舌頭交給我！」祂知道只要有了你的舌頭，就等於擁有了你整個人。所以做個聰明人，讓智慧的聖靈充滿你，以下有三要點請特別記得：

1.你必須相信聖靈充滿是　神給你的恩賜。作為　神的兒女我們有資格得到聖靈充滿，而且這是從耶穌所得的產業之一。在五旬節時，聖靈已降下，我們現在所要做的就是相信和接受；不必再苦苦哀求，好像怕　神不把這應許賜給我們。「人非有信就不能得　神的喜悅，因

爲到 神面前來的人，必須信有 神，且信祂賞賜那尋求祂的人。」（來十一6）耶穌應許我們「尋找就尋見，叩門，就給你們開門」（太七7）。

2.確定你內心潔淨。就像我們倒牛奶時，要確知杯子是乾淨的，同樣我們也要先潔淨自己，然後 神的靈才會澆灌下來。

向 神認罪，包括自己所有的驕傲、惡毒、貪婪、謊言、不滿、怨恨和情慾等。 神是有憐憫的，祂在等我們認罪，然後以耶穌的寶血洗淨我們，使我們比雪更白，這也是耶穌死在十字架上的目的。「我們若認自己的罪， 神是信實的、是公義的、必要赦免我們的罪，洗淨我們一切的不義。」（約壹一9）

3.全心全意的讚美主。開口大聲讚美 神，向 神傾心吐意，讚美是信心的實際行動。你可先爲未得的感謝 神，祂將會賜給你所渴望的， 神喜歡這樣的信心。

神是以我們的讚美為祂的居所。「但祢是聖潔的，是用以色列的讚美爲寶座的。」（詩廿二3）

當我們讚美 神時，我們是獻給 神一個寶座，我們承認祂是萬王之王。許多人經過懊悔死行、信靠 神等階段，但沒有學會感謝讚美主，以致後來不知所從。

「除非變成小孩的樣式，否則我們就不能見 神的國。」記得我們在大溪地和夏威夷教會時，曾見過小孩子們舉起手，閉眼高唱「哈利路亞」，他們被聖靈充滿，也開始說方言，臉上有著榮光如同天使一般，主大大彰顯在他們中間。

有一天我求主給我一首歌來詮釋這種經歷，祂就賜給我以下這首「五旬節」歌，一共有十二經節，我又禱告求　神爲這些經節配樂，結果是海頓作的「創世記」，不只能以英文歌詞配上，也能用中文歌詞配得很好。

五旬節歌

1.我要將父所應許的，降在你們身上，降在你們身上。你要在城裏等候，直到你們領受從上頭來的能力。時候將到，如今是了。那眞正拜父要用靈和誠實拜祂；上帝是靈，拜祂的必須用心靈和誠實拜祂。

2.五旬節到，門徒聚集在一處。忽然從天上有響聲下來，好像一陣大風吹過，充滿了他們所坐的屋子。又有舌頭如火焰顯現出來，分開落在他們各人頭上，他們就都被聖靈充滿，按聖靈所賜口才說別國話。

3.我若用方言若用方言禱告，是我的靈禱告，我悟性沒有果效，這卻怎樣呢?我要用靈禱告，我要用靈禱告，也用悟性禱告。我要用靈用靈歌唱，也要用悟性歌唱，用悟性歌唱。上帝是靈，拜祂的必須用心靈和誠實拜祂。

4.你們祈求祈求就給你們，尋找就尋見；叩門就給你們開門。因凡祈求的求就得著，尋找的就尋見，叩門就給他開。你雖不好，尚知拿好東西給兒女，何況天父，何況天父，豈不更將聖靈給求祂的人。

個人的經歷

大約二十年前，我領受了聖靈充滿。當時我是一個浸信會牧師的妻子，我知道我內在靈命枯乾，而且我很不滿意自己的靈性光景。**當時雖然明白基督徒必須被聖靈充滿，也徧讀許多有關「靈浸」的書；每本書都不斷强調每個人要被聖靈充滿，我自己也深深信服。但沒有一個人告訴我，如何被聖靈充滿及被聖靈充滿後會發生什麼事。**所以我對自己說：「你已被聖靈充滿！」然而日子一天天過後，我的靈性又回到老樣子——枯乾、沒有能力。

有一天晚上，一個十五歲的女孩子來找我，她有自殺的念頭。在這緊急的時刻，我卻想不出該對她說什麼。我需要聖靈的能力和智慧來幫助她，但我卻覺得自己裏面一無所有，毫無能力，**我終於知道自己沒有被聖靈充滿**。

我抓住　神的應許：「尋找就尋見，叩門就給你們開門。」雖然我對聖靈充滿不太瞭解，但我決心尋求直到尋得。

那天晚上聚會結束，我們圍坐在餐桌邊，其中有來訪的一位牧師亨利和他的太太卡洛。亨利是薛牧師在長老會神學院的同學，我先生總是說亨利是個好人，而且極聰明，唯一的問題是他「說方言」。

亨利夫婦前幾天帶著孩子突然出現在我們家的大門口，說：「我們來了！」實在是令人驚喜。我們趁此邀請他在我們的浸信會教會講道，我內心有種感覺：「亨利有些東西是我們所沒有的，」我變得愈來愈飢渴。

圍坐在餐桌邊時，我說：「如果亨利夫婦能爲我們按手禱告，我相信我會得著聖靈的浸。」雖然當時我實在不明白靈浸是怎麼一回事，我告訴亨利我的內心極其枯乾，實在需要有這種經歷，但是那天晚上誰也沒做什麼，我們只一起跪下禱告，亨利夫婦覺得主在幾天之內或不久的將來會充滿我。

第二天，我一心只想更多地知道什麼是聖靈充滿，也只想談論這件事；我哭了又哭，好像主正在將我倒空一樣。

到了晚上，我說：「我要去教會的禱告室，今天晚上不被聖靈充滿就不上床睡覺。」那時我四個孩子都還小，我決定將他們提早送上床，我準備去通宵禱告，在我進入禱告室前我向主說：「主！如果祢要別人和我一起禱告的話，就讓他們來！」

進入禱告室之後，薛牧師及亨利夫婦都相繼來到（其實我根本沒有告訴他們，我會來禱告）。於是大家一起同心禱告，到了半夜，聖靈降到我身上，我沒說方言，反而是說預言：「不要害怕，你會結果子，」我一共連說三次，以前我從未聽人說過預言。

那晚我雖沒有說方言，但覺得聖靈已經充滿我。

不久主帶領我同一位女士去參加一個奮興大會。

那天晚上，我一踏進教會，就開始哭了，教會的牧師，根本不認識我，卻說：「　神會將你心中所渴慕的賜給你。」

這是一次奇妙的經歷，因爲在未講道之前就有一些預言。我睜不開眼睛，也不看任何人，卻有不同的預言好像是對我說的，我對主說：「這眞正是奇妙的，我實在愛主不夠！」那晚我將自己完全奉獻給主。

當講道開始，主感動我到禱告室去。和我一起來的那位女士陪我到一間漆黑的禱告室。有位男士伏在地上禱告，他聽見聲音就準備起身，但好像聖靈不准他起來似的，所以他就用一條手帕把臉遮住，沒人知道他是誰。他繼續用方言不停地禱告，我和那位女士也一同跪下。

這位男子說方言快得像機關槍，我默默禱告：「主，如果祢要我說方言，求祢先讓這個人的說話慢下來，因爲我根本不知要怎樣開始？」很奇妙，這個人居然就眞的把禱告的聲音慢了下來！

我繼續禱告說：「我丈夫總是說要察驗是否出於　神？就要看他們有沒有提到耶穌的寶血！」誰知我們剛禱告完，這個男子就開始說：「耶穌的血，」又用廣東話說：「來這裏，來這裏。」

我的心安定下來，深信這不可能是出於撒但，主說：「來這裏，」又說：「耶穌的血。」這個男子仍然很有負擔地全心禱告，不久，他開始笑個不停，我從來沒見過人這樣笑過。他是用靈在笑，大概笑了整整十分鐘。我實在不覺得有什麼好笑的，但這個人確能由靈魂深處笑出來。結果我也被感染了，開始笑個不停。我開始大聲唱「哈利路亞」，可能二條街以外的人都聽見了。像是一種超自然的聲音，高入雲霄，一點也不像我的聲音。在唱「哈利路亞」時我的舌頭開始動得很快，甚至我聽不見自己說些什麼，只知道舌頭不斷地動。後來我向旁邊的那位女士問：「我說了方言嗎？」她說：「你說方言了。」我自己卻完全不知道，這就是我個人的經歷。

由奮興大會回家時，我本來打算保持沈默，但薛牧師問我：「你的神情像個吃了金絲雀的貓！」他說：「我只想知道你說了方言沒有？只告訴我有或沒有就行了。」

我沒有立即答覆他，因我不想讓他覺得我比他好！我只說有些人比較容易得到，有些人需要較長的時間，然而一旦得到後卻比較穩定、持久，這不是靈性高下的問題！接著我以敬畏的心跪下，訴說整個故事的經過。

以後，我們就沒有再多談這件事，但我卻有了極大的轉變，聖經對我來說有了嶄新的意義。

聖靈會開啓我們的眼睛，使我們看出律法的奇妙，而且賜下忍耐、喜樂和饒恕的能力，**聖靈是我們一切能力的來源。**

第八章　華衣美服

「只要有衣有食就當知足。」（提前六8）

當初　神造人，並不需要衣服，因　神按自己的形像造男造女，以祂自己的榮光爲衣裳。但自從亞當，夏娃犯罪以後，人開始爲自己的赤身露體感到羞恥，便拿無花果樹的葉子，爲自己編作裙子（創三7）。

神知道無花果樹的葉子是不能持久，所以爲亞當和他妻子用獸皮作衣服，給他們穿（創三21）。這是世界上第一件皮衣，需付上宰殺一頭牲畜的代價。

救恩的衣裳

雖然夏娃受到蛇的引誘，不聽　神的話，但　神向摩西宣稱祂自己的名，是「有憐憫，有恩典的　神，不輕易發怒，並有豐盛的慈愛和誠實」（出卅四6）。　神在創世之前就已預

備一贖罪的羔羊——耶穌基督。「看哪！ 神的羔羊，除去（背負）世人罪孽的！」（約一29）

耶穌是爲受苦而生，叫祂因著 神的恩，爲人人嘗了死味（來二9）。「死既是因一人而來，死人復活也是因一人而來。在亞當裏衆人都死了，照樣，在基督裏衆人也都要復活。」（林前十五21～22）

耶穌死在十字架上，爲我們預備了救恩的衣服，祂的愛遮掩了我們所有的罪，因爲「我們都像不潔淨的人，所有的義都像污穢的衣服」（賽六十四6）。

我們需要換件衣裳，脫下破爛、污穢的舊衣，來到耶穌面前，讓祂給我們穿上聖潔、公義的新衣裳。

有位女人曾病了十二年，但當她摸到耶穌的衣裳繸子時，就突然痊癒了，也許你會想：「哦，如果我摸到耶穌的衣裳繸子我也會好，可惜生不逢時。」

但耶穌要告訴你：「你不必擔心能不能摸到我的衣裳繸子，我要給你**整件衣裳**！你拿去穿上，就會痊癒，而且不論誰摸到了你的衣裳繸子也會痊癒。」

什麼是**救恩的衣裳**？並不單指你已得救，而是表示你穿上一件使人得釋放的衣裳，身上帶有能力！耶穌給我們的是這樣一件帶有能力的衣裳。耶穌告訴我們，「只要求就必得著」我過去認爲這句話是一個**應許**，但聖靈說：「這是一道**命令**！」向 神求，你就必得到。

「我因耶和華大大歡喜，我的心靠　神快樂，因祂以拯救爲衣給我穿上，以公義爲袍……。」（賽六十一10）

你是否有女性週期性的困擾？是否覺得全身發酸，情緒低落？換上　神的衣裳，就會有能力勝過這些「變化」！

在十幾年前，有一陣子我曾經陷入低潮中，爲一點芝麻綠豆大的事，也會哭上半天。我想這對一個到了更年期的婦女來說是很「正常」的（我當時五十一歲）。但問題是主正帶領我們到國外佈道旅行，將要前往香港、台灣、新加坡、澳洲、大溪地、紐西蘭等地。「主啊，我這個樣子怎能向別人傳福音？如此愛哭又怎能唱詩歌呢？」我求　神醫治我的低潮，主確實醫治了我。從此我再也不會情緒低落，後來旅行佈道回來，即使生活中有試煉來臨，也能安然渡過。

你今天就能得醫治，你的婚姻能得醫治，你破碎的心能得醫治，**靠耶穌的名，得醫治**！「祂誠然擔當了我們的憂患，背負我們的痛苦……」（賽五十三4）耶穌死後第三天復活，證明祂實實在在是　神的兒子。猜猜看祂帶回了什麼給我們？（當我們旅行回家後，總喜歡給孩子們帶些東西——表示我們的愛），耶穌並沒有空手回來，祂帶回了許多奇妙的禮物。

讚美的衣裳

你是不是在情感上曾深受創傷？覺得萬念俱灰，甚至再也不想談戀愛。但耶穌已賜給你「華冠……代替灰塵，喜樂油代替悲哀，讚美衣代替憂傷之靈」（賽六十一3）！

耶穌升天前曾說：「你們心裏不要憂愁，也不要膽怯，我要求父，父就另外賜給你們一位保惠師（訓慰師），叫祂永遠與你同在。」（約十四16～17）主的身體已升天，但祂應許賜下聖靈給我們，祂還要給我們一件新的衣裳，那就是**讚美的衣裳**。

你有沒有發覺有一些人總是成天讚美主？因爲他們已穿上聖靈賜的一件新衣裳！當你接受主耶穌進入你的心中，成爲　神的兒女，耶穌會賜給你一件全新的衣裳。女士們！這是我們的好消息。

我是家中三個女孩子中最小的，衣裳總是老大、老二穿完，才輪到我穿，等衣服傳到我手上時，我就哭了。我喜歡一切美好的事物，雖然當時我只有三歲，但卻知道輪到我時衣服已經不漂亮了。我父親覺得很內疚，決定買幾件新衣服給我，當時我眞是快樂極了！

以下收集了一些我們可穿的新衣服，一個禮拜七日，每天穿一件！（摘自西三12）：

1. 憐憫

2. 恩慈
3. 謙虛
4. 溫柔
5. 忍耐
6. 包容
7. 饒恕

最重要的就是再加上愛的衣裳！

謙卑的衣裳

神的僕人最需要的就是謙卑的衣裳，更嚴格的來說，就是屍衣——一件代表「自我」死亡的衣裳。

「你們已經死了，你們的生命與基督一同藏在　神裏面。」（西三3）唯有治死老我，穿上屍衣，否則根本沒有使人得釋放的能力。假想你已死了，像一具屍體躺在棺材裏，所有的老我，驕傲都裹在屍衣裏，隨之埋葬。你說：「我已死了，與基督同藏在安息裏面。」然後你才會有能力流出來，才能開始事奉　神！「一粒麥子，不落在地裏死了，仍舊是一粒，若是死

了，就結出許多子粒來。」（約十二24）

魔鬼用驕傲的外衣來摧毀許多信徒，有人一旦成功就開始得意洋洋，這是致命傷，所以神說：「每當你們去傳揚我的道，爲人代禱時，披上謙卑的外衣，否則將徒勞無功。」

在末世時有許多假先知、假基督出現，我們要如何分辨他們？耶穌說可由一件事情來分辨：「憑著他們的果子就可以認出他們來。」（太七20）好樹必結好果子，壞樹必結壞果子，什麼是壞的呢？就是充滿驕傲的心。

即使你能奉耶穌的名趕鬼，但卻自高自大，耶穌說：「我根本不認識你！」因耶穌從來就不認得驕傲，祂來是要除滅魔鬼的作爲——驕傲。「犯罪的是屬魔鬼，因爲魔鬼從起初就犯罪，　神的兒子顯現出來，爲要除滅魔鬼的作爲。」（約壹三8）

但是聖靈所結的果子是一顆柔和、謙卑的心。當我們變得柔和、謙卑時，自然彰顯主而不是顯揚自己。讓　神在我們身上大大的興旺而讓自己漸漸衰微。我們不急於爲自己舉名，不搶著說自己的話。「祂必興旺，我必衰微。」（約三30）

有時我們有心爲主工作，但卻愚昧地穿錯了衣服，耶穌的衣服都有「沒藥、沉香、肉桂的香氣……」（詩四十五8）沒藥是埋葬死人用的，代表卑微；然而卻有著基督生命的馨香之氣。

你所有的衣服都有沒藥的馨香之氣嗎？「因爲我們在　神面前，無論在得救的人身上，或滅亡的人身上，都有基督馨香之氣。在這等人，就作了死的香氣叫他死，在那等人就作了活的香氣，叫他活……」（林後二15～16）

親愛的姊妹們，穿上你謙卑的衣裳吧！不但要剛强，抵擋撒但的攻擊，同時要學習主的謙卑。當你愈來愈高傲時，記得告訴自己：「跳傘」（謙卑）這樣或許可挽救你自己的生命及婚姻！

第九章　我們是富足的

經濟問題已成爲家庭破裂的主因之一，許多有錢人的夫婦結果仍然是以離婚收場，所以我們知道財富並不是婚姻幸福的答案。

聖經上清楚的告訴我們「**誰**」使我們富足：「你們知道我們主耶穌基督的恩典，祂本來富足，卻爲你們成了貧窮，叫你們因祂的貧窮，可以成爲富足。」（林後八9）

有些富有的人整天叫窮，有些窮人卻打腫臉兒充胖子，但　神的兒女該知道自己實在的情形，不需要爲金錢而焦慮。當我們進入　神的家中成爲祂的後嗣，就有一非常重要的「銀行存摺」：「既是　神的兒女，便是後嗣，就是　神的後嗣，和基督同作後嗣。」（羅八17）

這段經文表示我們和耶穌共有一個帳戶，亦可直譯成「因爲我們既是祂的兒女，我們將分享祂的一切寶藏——因爲　神將一切給了祂的兒子耶穌，現在也將一切給了我們，如果我們和祂一同受苦，也必和祂一同得榮耀。」

我常告訴我的孩子們說：「我是富足的。」我從不說：「我很窮。」或者「我買不起。」

即使我身上只剩一分錢，只要耶穌買得起的，我就買得起，因爲我們同有一個帳戶。

我的原則是：第一，尋求　神在這件事上的旨意。如果　神要的，不論你以爲你多窮，你仍然買得起；如果不是　神的旨意，不論你多麼有錢你都無法買下。有些富人事實上反而是「那困苦、可憐、貧窮、瞎眼、赤身的。」（啓三17）

富足有很多種，　神揀選了世上的貧窮人，使他們在**信上富足（雅二5），有些人在好事上富足**（提前六18），因　神有**豐富的憐憫和恩典**（弗二4）。

你在追尋什麼樣的財富？「敬虔加上知足的心便是大利了，因爲我們沒有帶什麼到世上來，也不能帶什麼去，只要有衣有食，就當知足。但那些想要發財的人，就陷在迷惑、落在網羅和許多無知有害的私慾裡，叫人沉在敗壞和滅亡中。貪財是萬惡之根，有人貪戀錢財，就被引誘離了眞道，用許多愁苦把自己刺透了。」（提前六6～10）

二十年前的救恩堂剛成立時，我們只有十幾個人在客廳中聚會。有一個主日，建堂小組在開會中爭議是否該用「Broadway-plan」（即賣債券），那天稍早，　神曾對我說：「你走在窄路之中，不是寬路之上（註），你是　神的兒女，怎能到處借錢好像我們的天父是貧窮的，或是吝於供給我們一切所需用的，你簡直是在侮辱天父！」

然後，主又告訴我聖經上的應許：「耶和華必爲你開天上的府庫，按時降雨在你地上，在你手裡所辦的一切事上賜福與你。**你必借給許多國民，卻不至向他借貸。**」

你若聽從耶和華你　神的誡命，就是我今日所吩咐你的，謹守遵行……，耶和華就必使你作首不作尾，但居上不居下。」（申廿八12～14）

經過大家的同意，我們決定不採用「Broadway plan」，在經濟上完全依靠主，不久　神奇蹟似地給了我們一座教堂，我們付清了全部款額，不欠一分錢。

我們要抓住聖經中　神的應許，當你要知道　神所應許的——你就是富有的！根本不用爲錢或一切所需要的操心。因爲聖經上說：「我們是　神的子民，與基督同得產業的。」

如果你的祖母或姨媽準備死後留下一大批遺產給你，那是很好；但若有人願將一切所有都給你，豈不更好嗎？我們有位富有的主耶穌，他留下一切給我們，雖然我們把對這應許看爲尋常，但這卻是眞眞實實的。

經濟上的捉襟見肘使你焦慮不安嗎？這裡有一段有關於錢財的最好經節：「我的　神必照祂榮耀的豐富，在基督耶穌裏，使你們一切所需用的都充足。」（腓四19）

默想　神的話是成功的秘訣，你一定要先有收入，才能有支出。同樣你也先要有　神的話在你心中，才能供應別人。我們家人每天早上都背誦一節經文，而這種操練使我們生活各方面都獲益匪淺；我們可用許多方法鼓勵孩子們背金句，例如利用各種貼紙及小獎品等。

在我們小的時候，每個月有一塊零用錢，每次必須記下所花用的每一分錢，並且很早就已學會十一奉獻，每個月至少拿出一角錢奉獻給教會。

當我們不照　神的話去做時，經濟就會發生困難。

你收入的十分之一原本是屬於　神的，這不算是奉獻。有些人不想納十分之一，最後連十分之九也失去了。如果我們給　神百分之十，另外百分之九十自然就會增值。　神知道怎麼加增財富，如果你少生病，不用看醫生，自然就少花錢了。對不？　神說，祂會敞開天上的窗戶，傾福給你們，甚至無處可容。

當你付清你本份應該先交給　神的十分之一，然後你再多加給　神的，才能算是奉獻。當你仍欠　神十分之一時，是你奪取祂的供物。如果我們成為這樣的小偷，就難怪經濟上會拮据了。

有人認為：「我覺得有感動時才奉獻。」我要說：「你給主的其實並沒有你想的那麼多。」如果你的丈夫不是基督徒，他不願守十一奉獻，那就不必為此爭執，你丈夫預算你給多少，你就給多少。

救恩堂，我們從不用傳盤子收奉獻，而是在門口放一個奉獻箱。牧師只收下指名給牧師的那一部分，沒有指名的就歸入教會的一般費用。我丈夫告訴會衆：「如果你不是基督徒就不必奉獻，因奉獻是基督徒的特權。」

牧師不是花錢雇來的，沒有人能對牧師說：「是我雇你來的！」　神是唯一雇用我們的人，如果我們服事主，祂就是唯一供應我們一切需要的。有人說：「這樣做絕對行不通，你知道這是不合常理的。」但對我們來說，卻是可行的。在教會中，我收了幾位學生，教他們鋼琴，但絕不收一分一文，如果他們要付錢與我，我便說：「奉獻給宣教工作吧。」因爲我不願留人話柄說：「薛師母靠她的音樂才華賺錢。」亞伯拉罕說：「凡是你的東西，就是一根線，一根鞋帶我都不拿，免得你說，我使亞伯拉罕富足。」（創十四23）亞伯拉罕乃因相信神而富足。

當我們向宗派教會辭職後，準備到台灣去宣教，雖有足夠的錢付單程機票，但　神說：「即使只有一隻羊，也要聽我的命令在休士頓建立教會。」這是我們最不願做的一件事。

當時，我們一家雖然留在美國，但沒有人願意把房子租給一個有四個小孩子的家庭。當我們預備買房子時，就有人問起我們的收入，我們說：「我們沒有任何收入，完全憑信心而活。」有人說：「塡入你所有的積蓄。」但我們說：「我們不能騙你，我們實在沒有甚麼積蓄。我們寧願沒有房子，也不願以欺騙的手段來得著。」

貸款申請表上有一欄問道：「你們的雇主是誰？」我們塡上：「　神是我們的老闆。」「你們的薪水多少？」我們塡上的是腓四19：「我的　神必照祂榮耀的豐富，在基督耶穌裏，使你們一切所需用的都充足。」我們向　神禱告：「如果祢要我們買下這房子，就讓貸款公司批准我們的申請。如果祢不要我們買，我們就不買。」結果不但貸款批准，還讓我們早一個月搬進屋裡！

接下來我們開始面對一連串的問題。因爲需要五百元的手續費，錢從那裡來？只有禱告神，求祂供應。

猶記得到了禮拜天，尚缺少一百元，而當天郵差又不會來，怎麼辦呢？這時候有二個根本不知我們情形的人，卻分別要借我們五百元，但主說：「要榮耀我，不要去向人借一分錢。」所以我們拒絕了他們的好意。這聽起來似乎很荒謬，但　神卻是在操練我們的信心。然而到了禮拜一早晨，我們正好湊足了五百元，因爲禮拜天下午有人給了我們一百元。往後每個月我們所需的費用，從未有缺乏。

十年後，房地產掮客遇見我們說：「這是我們所見過最奇特的申請，我們特別把你們的表格框起來，掛在我們公司牆上！」

有人會問：「你們的信心怎麼這麼强？你們怎能求到你們所要的？」我們都知道：「信道是從聽道而來的。」（羅十17）當一個中國母親對她的孩子說：「你有耳朵沒有？」意思就是指「你聽到我的話沒有？」要張開耳朵聽　神的話、順服　神，信心就是由此而來。

如果你有經濟上的問題，很可能你還未學到「給」的功課，你自己緊抓錢包，擔心錢不夠，結果使你的靈性乾涸。如果我們是　神的兒女，就該有　神的性格，給、給、給！祂要我們拿出十分之一，只不過希望我們能有「給」的習性，就像祂一樣。

你以爲　神少了我們當納的十分之一，就沒有辦法進行祂的工作嗎？這整個宇宙都是　神的，祂根本不需要我們的十分之一，但祂如此要求，爲的是賜福我們。

神總是會加倍地還給我們所付出的。如果我說：「主，我愛祢！」但卻勒緊錢包，祂知道我說的不是眞心話。

你絕不會給　神太多的，服事祂，也絕不會走錯路。如果你有經濟上的困難，可自問：「我有沒有依　神的方式而行？我完全順服祂了嗎？」

（註：「Brodway plan」的「Broadway」一字也是寬路之意。）

第十章　一天的生活

每天早晨剛醒來的三分鐘，你都做什麼呢？

有些主婦早晨起床後，從來沒有動腦筋想過這一天該有什麼計劃，就開始忙於照顧孩子、丈夫、煮咖啡……等一些例行的公式。

如果在一天中有好的開始，就是成功了一半，但如果一開始就一團糟，通常那一整天就樣樣都不對勁。

其實每天早晨醒來的第一件事，應先將這一天交託在　神手中。首先進入腦海的應該是：「主！我爲今天感謝祢，我愛祢，求祢引導我這一天的生活。」先和　神談話，這是爲今天這一天先調整好步調。

學習讚美　神——我們永遠的良人。在早飯前先唱「哈利路亞」或讚美詩，家中就會充滿喜樂、祥和的氣氛。如果你先開口唱歌，孩子們也開心，丈夫知道你心情愉快，更不會和你吵架，這就像連鎖反應，一切都跟著有好的運轉。

許多主婦總是不自覺地把丈夫放在最後，先忙家事、孩子、煮飯、縫衣和買菜，爲一切的瑣事操心，但卻忽略了她們的丈夫。雖然丈夫不說什麼，但心中卻築起了一道牆，直到有一天，你會發現「爲什麼我和丈夫之間無法溝通？」

有人說：「你想要你丈夫待你像皇后，那你得先侍候他像國王一樣。」如果國王五點鐘要到我家來，我該將一切準備妥當來迎接他。

主居首位

將你生活中最重要的放在首位！

一早起床就說：「主耶穌，感謝祢！」使其很自然地成爲你的一種思維方式。即使你不說出口，也可心中想著，這可完全決定你如何過這一天。你的態度往往影響你一整天的心情，如果態度不對，你就一整天凡事都不對勁。如果當你突然發覺自己光景不對時，馬上說：「哦！主！讓我馬上停下，轉向祢。」

聖經告訴我們「先求　神的國」，這「先」字提醒我們早晨醒來的第一件事。通常我們早晨起來**先**忙什麼？先喝咖啡？不久咖啡就會成爲你的主，你不喝咖啡就熬不下去了，不是嗎？

我的記事本上並沒有記下一天發生的點點滴滴，而是　神今天要我做的事，依重要性分成

1、2、3、4的次序。當一天完畢，我再看看自己完成了幾件事。

情緒與意志

你可選擇你要過怎樣的日子？

有個人說，每天早晨他已決定好這一天都要快快樂樂！「今天是主所定的日子，我要在其中歡喜快樂！」他選擇要過得快樂。

現在也許有人會說：「哦！我並不快樂，沒有必要裝成快樂的樣子，如果我說自己快樂，就是騙人！」不是只有當我們覺得想做的時候，才聽　神的話，不想做的時候，就不聽。其實許多我們不想做的時候，也得順服　神，意志和情緒不能混爲一談。意志說：「**我要去做對的事**。」情緒說：「**我不想做**。」你該聽誰的呢？

你聽從意志並不表示你撒謊或僞裝，聖經告訴我們：「要在主裏常常喜樂。」所以不論你的感覺如何，都要說：「我要喜樂！」

譬如你要早晨六點起來，可是鬧鐘響時你還不**覺得**想起床，如果你勉强起來了，就表示你虛假嗎？不是的，你知道你得起床，不管你的感覺如何，這是受你意志的控制。

一個成熟的人會由**意志**來控制行爲，但幼稚的人就會憑**感覺**行事，想做就做，不想做就不做。

所以爲什麼不以你的**意志**來決定每天早晨都有個好的開始呢？你能自問：「誰是我的神？」如果眞把　神當爲　神的話，祂必須是居首位的。

勤讀　神的話，即使只有一節也行。早晨與耶穌一同醒來，爲這一天感謝祂，與祂交通，這樣你才能知道祂要怎樣引導你。

能與　神同行的人，都有一雙敏銳的耳朵，隨時準備留心聽　神說話。如果你心中充滿屬世的東西、電視、收音機等，你根本沒給　神向你說話的機會。你也許會說：「哦，我聽的是基督教電台。」但你仍沒有讓　神先和你說話，你只是讓其它的事物佔有你的心思——沒有完全安靜下來，傾聽　神要對你說的話。聖經上說，　神每早晨必開通我們的耳朵——每天早晨對我們說話。向　神說：「在我上床睡覺之前，我要禱告！求　神每早晨開通我的耳朵，好聽見祢的聲音，讓我一早醒來就和祢說話。」不是要對　神說什麼，而是祂要對你說話，吩咐你這一天該如何做。

整理家務

你是否會爲整理家務而煩惱？我就會！

主提醒我首先要鋪床，這樣可使房間看起來乾淨清爽。其次，我求　神賜我喜樂的靈去做家事，而不是抱怨說：「簡直是在做苦工！」

首先訂定計劃，一個禮拜清理一項，有時你必須先放下其他的，才能完成計劃中的項目。

如果你的廚房櫃子一向都很雜亂，而衣櫃已堆滿了東西，甚至連門都關不上。那麼你只好先暫時捨棄廚房櫃子，先整理衣櫃了，這就是你這一個禮拜清理的目標。

把衣櫃內的東西都拿出來，那些幾年來未曾動用過的東西，可捐給慈善機構。如果你捨不得送人，你就會變得貪心。結果你不但有一個亂七八糟的衣櫃，而且你的內心也不得平靜。想想看，有多少人會因得到一件你一整年都沒穿過的衣服而雀躍，多分給人對你的靈性也會有好處——會使靈魂更寬大。不要吝於給人，如果你要學像耶穌——就多給吧！　神已經給了我們祂獨生的兒子。

然而不要存有想得回報的念頭，這種動機是出自惡者的，只要一心學像耶穌就好了。祂說「你們給人，就必有給你們的」當你給出去時，就等於爲自己空下空位，　神會給你更好的！

另一個禮拜的清理目標就是廚房的櫃子，可用一些旋轉架來安置各種調味料及罐子類等。如果梳妝台上的雜誌雜亂無章時，就拿一個盒子把所有不要的都丟進去，要知道懂得丟東西和懂得買東西一樣重要，另外也可用旋轉架來放置香水等。

如果你家又亂又髒，會令看到的人心煩意亂、神經緊張，丈夫回家後也沒法好好安歇，如果你想要擁有一個幸福美滿的家，有一件事非常重要——**就是先要有一個整潔的家。**

有位主婦照我以上的建議逐一實行，結果，她很高興地說：「哦，現在我家至少可保持三天都很整潔！」

安然入睡

忙碌過後，你已做完一天的事了，但或許你有失眠的煩惱。然而　神已給我們祂的應許——「你躺下，必不懼怕，你躺臥，睡得香甜。」（箴三24）「我必安然躺下睡覺，因爲獨有祢耶和華使我安然居住。」（詩四8）

神已經教導我們怎樣可以安然入睡，你可試試看，「願聖民因所得的榮耀高興，願他們在牀上歡呼。」（詩一四九5）在床上歡唱？聖經告訴我們當如此行！這段經節對我很有幫助，每當我唱詩時，就不再煩惱了。

許多婦女在一上床後就開始爲金錢或食物擔憂，唱詩能除去所有的憂慮，因爲魔鬼最不能忍受我們用詩歌來敬拜主。

大衛時常在床上默想　神「……我每夜流淚，把牀榻漂起，把褥子溼透。」（詩六6）躺在床上時，我常喜歡和主有親密的交通，　神常會在夢中，給我一首歌；我也喜歡一邊睡覺一邊在靈裏禱告，醒來時也立刻用靈禱告，如此，就不覺得睡眠是浪費時間了。

隨著年齡的增加，我們的婚姻也愈來愈美好，而今已結婚卅八年了，我們夫妻倆仍喜歡一同讚美主。

愛的根源是主耶穌基督，每當我們唱詩時，就更能感覺　神的同在，而更加俯伏敬拜祂！

第十一章　小蚊子

「兒女是耶和華所賜的產業，所懷的胎，是祂所給的賞賜。」（詩一二七3）對中國人來說，兒女確實是　神所賜的產業。我們拜年時總會說：「恭禧發財！兒孫滿堂！」這是一種很積極的想法，希望你在靈、魂、體都興盛。廣東人戲稱兒女為「細蚊仔」。

一九六二年時，　神差遣我們到大溪地成立教會，大溪地除了蚊子多以外，還算是個很美麗的地方。由於氣候潮濕，當地的蚊子大得出奇，不論晝夜，見人就叮，我的雙手被吮得又紅又腫，負責招待的人為我們點蚊香，但其氣味甚難聞。但我發現這位主人自己並沒有點蚊香，我不想整夜聞嗅蚊香的味道，就去問他說：「為什麼你們不需要蚊香？蚊子不咬你嗎？」他對我說：「你告訴我們不要懼怕魔鬼，牠們應該怕我們才對。就像你如果怕狗的話，狗能感覺到，牠反而會來咬你，但如果你站住不動，對狗不懼怕的話，狗自然會退後。對付蚊子也是同樣的道理，如果你怕牠們，牠們就會咬你，如果你不怕牠們，牠們就不敢咬你。」

於是我們學到了一樣功課！

我對薛牧師說，今晚不要再點蚊香了，我要向主禱告：「靠耶穌的名，蚊子！你膽敢咬我及我丈夫。主耶穌，求祢以火牆來護衞我們，使蚊子不能穿過來咬我們。蚊子！他靠近我們就必死，耶穌的寶血遮蓋了我們。」

結果那晚一次都沒被咬，我們可聽到蚊子「嗡嗡……」的聲音，但沒有一隻蚊子來咬我們，被咬或不被咬完全在乎我們的態度。

我們的態度和觀點也可使我們和兒女間的關係產生極大的差別。

我的孩子曾對我說：「媽，沒有一樣東西在你手中長得好的，我們家不可能養寵物，碰到你就活不了。」

我向　神禱告求祂賜我更多的愛心。幾年後，我發現我們家的金絲雀快樂地跳躍並唱起歌來了，多麼悅耳的聲音啊！後來還生了十一隻小金絲雀呢！

後來　神突然又使我成了「綠姆指」——養植物迷，家中室內室外花木茂盛，我對植物有種特別的感情。我現在知道如何種向日葵、金盞菊並飼養和照顧寵物；照顧盆景和各樣花木成了一種樂趣而不再是一種累贅。

喜愛園藝的人絕不會任他所栽種的自生自滅，否則不但雜草叢生，而且會遭到蟲害。

聖經說：「杖打和責備能加增智慧，放縱的兒子，使母親羞愧。」（箴言廿九15）　神使你成爲母親，所以當我們管教兒女時不要害怕，　神必支持我們的權威。

有位很可愛的女士告訴我，她過去是家中「包了糖衣」的老闆，後來她決定該讓她丈夫作一家之主。整整二年時間，她丈夫都還不習慣擔起領導的角色。（這位先生是位優秀的律師，但不論一個男人多聰明，只要女人作主後，他自然會退讓，不然家中就像有隻兩頭的大怪獸。）這其中往往需要一段適應時期，才能讓丈夫確知妻子是眞心的，以他爲一家之主。這好比當你清掃屋子時，你得把所有的東西推到房間中央，以便打掃死角，整個房子會暫時像被龍捲風侵襲而雜然無緒，但不用擔心，最後你一定會有一個乾淨、整齊的房間，所有的零亂不整，只不過是整潔前必有的現象罷了。

孩子們會知道當要做一重大決定時，得先請教一家之主——父親。如果你已習慣在家中發號施令的話，可能你需要更多的謙卑及順服。我們的兒女總是說：「不論爸爸說什麼，我們知道都是媽媽背後出的主意。」他們說得對，以前確實是如此，但這種情形已不再發生了。我說：「從今以後，不論什麼事都由你父親作主，即使我不同意，但最後仍由他決定！」即使是錯誤的決定，他也可由其中學到功課，當他知道我不再干涉其事時，他會成爲更好的一家之主。

未有孩子之前，我們自認很懂得如何教育兒女，有了孩子之後卻覺得愈來愈不懂，等到孩子們十幾歲時，我們竟發現自己一無所知！在這束手無策時，我們求　神賜下智慧，主說：「我已等你們好多年了！」

母親們，禱告求　神賜下智慧，這樣可省得傷腦筋。我們需要智慧來區別「母愛」，和「溺愛」的不同。水澆得過多，植物會枯萎，溺愛兒女也是相同的情形。

有些父母特別怕自己的兒女，魔鬼希望我們都變成「孝順兒女」的一代，但聖經上說：「你們作兒女的，要凡事聽從父母，因爲這是主所喜悅的。」（西三20）

主是在背後支持我們的，祂給我們權柄來管教兒女。如果我們聽從　神的話，就能期許兒女也聽從我們。　神提到亞伯拉罕時說：「我眷顧他，爲要叫他吩咐他的衆子和他的眷屬遵守我的道……。」（創十八19）而且又應許：「你的兒子都要受耶和華的教訓，你的兒女必大享平安……。」（賽五十四13）「與你相爭的，我必與他相爭，我要拯救你的兒女。」（賽四十九25）。

如果連蚊子都能因我們靠耶穌的名所得的權柄而聽從我們的命令，我們的兒女同樣也會順服。「趁有指望，管教你的兒子，你的心不可任他死亡。」（箴十九18）市面上有許多關於如何管教兒女的書，所以在此不再贅述。但我願與大家分享我的經驗，我們不是完美的父母，事實上在管教我們十幾歲的孩子時非常失敗，但主幫助了我們，挽救了危機。

今天許多家庭因兒女問題弄得鷄犬不寧，父母不敢嚴加管教又不敢出言相勸，結果兒女爬到父母頭上，弄得家庭破裂。

有些夫婦說，他們的婚姻就是因爲孩子的問題而有了裂痕，因孩子們到了上床時間還不去睡覺，夫婦倆就沒有單獨相處的時間，其實，孩子是可以被訓練的。

記得有一對宣教士曾路過借住在我們家，他們有一個不到一歲的嬰兒，我問：「這小嬰孩什麼時候上床睡覺呢？他們說：「哦，當我們大人睡覺時，他才跟著睡，有時還搞到半夜呢！」當然，這小孩第二天會累得吵鬧不休。

有一天我向他們建議：「今晚你們去教會，我來幫你們照顧他。」這對父母離開不久，我把他放在床上，蓋上毯子，唱支催眠曲，我說：「强尼，你要好好睡，不可耍花樣。」抓住他小手唱歌，唱到第三遍時，他已沉睡了，總共還不到十分鐘呢！他母親簡直不能相信！「你說你只花了十分鐘就哄他睡著了？」「對呀！你只要使他舒舒服服，不太冷也不太熱，握著他的小手，輕拍他的小屁股，唱首歌給他聽，他一放鬆下來就入睡了。你要採取權威態度，讓他知道該聽誰的話。」

後來這母親如法泡製，結果成功了，她高興得不得了。他們離開後，還寄給我一張謝卡，特別感激我訓練强尼入睡，因爲這一直是他們最大的困擾。以往當他們在傳福音時，一面還有內憂，魔鬼實在用盡方法破壞　神的工作，所以當時這嬰孩不但沒有帶來樂趣反而成爲一種負擔。

另外一對夫婦有個小男孩，這小男孩在聚會時總是跑來跑去，他的父母卻一句話也不說。有一次他們來教會小住幾天，我們看見那小男孩把瓦斯爐打開，他母親只輕拍他的手說：「不要動！」我想這樣對他一點作用也沒有。所以我告訴那母親說：「你該當場打他屁股，屁股是神造來責打兒女的地方，不會傷到他（最好不要打其他部位）。」

這位母親當時並沒有打孩子的屁股，有一天這小男孩又打開瓦斯，他的母親並不知道，等她開始要煮飯時，「砰」的一聲，火焰燒到她的臉和眉毛，這一次她眞的狠狠地揍了他一頓。後來，這位母親提及她的小孩的改變，當他三歲時，她已很成功地訓練他在禱告的時候能安靜地坐著。

言語溫柔

聖經上有關教育兒女的經節總是深深地吸引我。末底改在當時是個偉人，聖經中記載他「向他們說和平的話」（斯十3），他向他的兒女及子孫們說：「平安」這二字，我想聖經上既然這樣記載，我也要學著去做。每當孩子們吵鬧時，我不再吼他們，而說：「平安！」（因爲你如果對小孩吼叫，他也會學你的樣向你吼回去，我們愈大聲吼叫，家中就越是亂成一團，所以只要說：「平安。」）有人說，噪音少植物就能長得更好。同樣地，如果我們少吼叫，孩子們也會長得更好。

我以前也常對孩子大吼大叫，我知道自己不該如此，所以就特別作一個牌子，上面寫著：

「溫柔地說話」，我得好好訓練自己輕聲地說話，因爲有好長一段時間我都有大聲吼叫的壞習慣，孩子們取笑我說：「哦，媽你手裏拿著棍子，還能學輕聲說話啊！」

我向他們表明從今以後說話會溫柔些，我也盼望他們爲我禱告，我是眞心想做到的。

一天，有位太太很高興地告訴我說：「這方法還眞管用呢！我要告訴我所有的親戚們。」她說：「我的一個小孩吵翻了天，我一說：『平安，孩子們，』他們就看著我說：『是的，媽媽，平安。』然後就不鬧了。」這句話好像有　神的權柄，當你說「平安」就平安了。

教養兒女需要極大的信心，你無法單獨完成，你不要以爲做了一些事或用一些方法就會有果效，這完全得靠　神的靈和你對　神的信心。你必須相信，　神給父母這樣的權柄，祂是不會失信的，有時兒女們會想要向父母的權威挑戰，說：「爲什麼我得去做？」只要簡單地告訴他們：「在聖經中說兒女當孝敬父母，我們是你的父母，道理就是這麼簡單！」　神說：「孝敬你的父親和母親，」父母也是彼此互補的，有時兒女們需要父親的堅持及强硬，有時又需要母親的溫柔和講理。

神已賜給我們管教兒女的智慧。有些事情母親當場就能處理，但有些比較嚴重的事，就要等父親來處理，爲的是讓孩子知道父親是一家之主，這些事情沒有一定的準則，完全視情形而定。

另外有一個似乎是很奇怪的原則，但却值得考慮的，就是**絕不用手打孩子**。手對孩子來說是表示溫柔、撫慰、提攜、帶領、指示，所以大人不該用手打他，使他覺得困惑。可用一樣東西如小木條或木板，擺在隨手可及的地方，往往你只要看一眼，孩子們就懂你的意思了。

有位女士說：「哦，我不能用棍子打我兩歲的孩子。」但聖經上說：「不肯用杖打兒子的是溺愛他。」她終於決定照　神的話去做，她告訴小孩說：「現在　神告訴我，如果你不理會我的管教，要用杖來打你。」這小孩睜大了眼睛，一整天都很聽話，只被打了一次。杖代表神的權威，將使這孩子有敬畏　神的心；當我們偏行己路時，就是不理會　神的權威。

管教兒女最好的方法是：一切根據　神的話而行。「管教你的兒子，他就使你得安息，也必使你心裏喜樂……」（箴廿九17）靠耶穌的名使用你的權柄吧！

在加州奧克蘭有位黃牧師，他訓練他兒子不可逾越他用手指畫的一條假設線。他那剛學會走路的兒子眞的完全地遵守，後來他也用同樣的方法，訓練他的二個女兒，結果這三個孩子都能在每天一整小時的禱告會裏，乖乖地坐著。但這一切訓練過程，是需要極大的愛心和耐心的。

愛能改變一切，或許你心裏急著要趕快刷完地板，好替嬰兒洗澡、煮飯，但如果有愛在你心中，就完全不同了。你是爲主而作，你把地板擦得光亮照人，因爲耶穌住在你家中。你現在替嬰兒洗澡，但有一天這嬰兒將長大成人服事主，爲主而活。當摩西小的時候，他母親被召入宮，親自照顧他；我不知那時他母親會不會想到，有一天摩西將率領以色列人脫離埃及人的手。說不定你的孩子將來也會成爲屬靈的偉人，你不要常常對他吼叫，他也是　神所造的，不要罵他是笨蛋，避免傷他的自尊心，只要對他多付出愛心，如果你尊重他，他也會尊重你！

中國人也非常重視長幼之道，父親是一家之主。薛牧師總是說：「不論父親坐在那兒，只要是他坐的位子就是上位！」若把自己的兒女管教好，兒女對父母是安慰而不是威脅。

「什麼？又要有一個孩子了？一定是意外！」我常聽到有些太太們這樣說。這不是很矛盾嗎？祂不是掌管一切嗎？　神說：「兒女是我賜給你的產業！是一種特別賜福和禮物。」但我們卻說：「什麼？又有了……」這其中一定有些錯誤的觀念！

如果缺乏信心，爲人父母是既沒有樂趣又沒有任何回饋的喜樂，但　神已給父母權柄及應許，爲要祝福兒女。信心是由聽道而來，當我們不聽　神的話就失去信心和權柄，但如果牢記神的話，就可期待奇蹟發生！

懼怕會奪去信心，有些父母擔心管教兒女會失去兒女的愛，這是受懼怕的靈所捆綁，屈服在錯誤的靈之下。「因爲　神賜給我們，不是膽怯的心，乃是剛强、仁愛、謹守的心。」（提後一7）

抵擋懼怕的靈，它就會遠離你！兒女是　神賜下的獎賞，只要常常親近主，你就會成爲一個滿有喜樂的母親！

第十二章　大珍珠

一九六二年七月，　神呼召我和薛牧師到大溪地宣教。有一天，主在清晨二點鐘喚醒我，向我說了約三個小時的話，祂對我說的其中一件事是「天國又好像買賣人尋找好珠子，遇見一顆重價的珠子，就去變賣他一切所有的，買了這顆珠子」（太十三45～46）。

「大溪地是一顆重價的珠子，你們願意爲我變賣一切所有的，買這顆珠子嗎？」

「是的，主。」我說：「即使我們只剩下一分錢，也願意為祢去大溪地。」第二天，　神以一種出人意外的方式供給我們機票及照顧嬰兒的費用。當飛往大溪地的途中，我們才發現大溪地又稱爲「太平洋之珠」。

珍珠的產生

當一個牡蠣發現有一外來的刺激物跑到殼裡時，一點也不高興，甚至可能跑去向母親抱怨。智慧的母親耐心解釋道：「這就是我們造珍珠的方法，刺激物愈大，珍珠也愈大。不要反抗，要高興的接納且感謝　神，你是被選來造這珍貴的珠寶的。」

如果，下次有人激怒你的時候，不要生氣，只要說：「讚美　神，祂正在我心中造一顆大珍珠！」

少想一些令你生氣的事，而要多多親近　神，這是你的秘密。專心愛　神，別人放進的這粒「沙」，會在你心裡變成大珍珠。

最近我出了趟遠門，搭十八小時的巴士才能到達，最令我不能忍受的就是碰到喋喋不休的人（每輛巴士上至少會有一個這樣的人）。有對夫婦，一直聊到清晨兩點，一點也不體恤別的旅客。我强迫自己「忍受」這種情況，保持「冷靜」，而且暗自禱告，但願回程時不會再碰到這種人。然而　神要我學這個功課，在回程時又碰到同樣的情形，那時正好是清晨，嚴重地影響我讀經禱告。後來，我突然想到，**爲什麼不唱歌，如果別人能大聲講話，我應該可以輕聲地唱歌，我開始在靈裏歌唱敬拜　神，不久談話聲就停止了**。

我們常聽見人抱怨：「爲什麼我要受苦？受苦的爲什麼是我？」　智慧說：「我正在造一顆珍珠，經過十字架就有冠冕，天國的門，是以珍珠造的。」

啓示錄提到天國的「十二個門是十二顆珍珠：**每門是一顆珍珠**」（啓廿一21），想想看，這顆珍珠會有多大！孕造它的牡蠣必須忍受多大的痛苦，來孕育這顆大珍珠！

古代以色列長者坐在城門口審判衆民，這門代表權柄，耶穌說：「我要把我的教會，建造在這磐石上，陰間的**權柄**不能勝過她。」（太十六18）這表示，地獄的權勢絕不能攔阻耶穌想建造的。

潘威廉是屬貴格會的一位政治家及領袖，他寫了一本名叫**「沒有十字架，沒有冠冕」**的書，我們也可以說「一同受苦，一同作王」。苦難是使我們得智慧的必備條件之一。耶穌是神的兒子，但還是因受了苦難才學會順從（來五8）。智慧比珠寶更珍貴，我們都渴慕得到，如果苦難是得到智慧所必須付出的代價，這是多麼廉價的交易啊！

你在受苦嗎？不要逃避，再忍耐些，全心愛　神，祂會完成你心中的珍珠。

「苦」的眞義

「**苦**」字就像口中有三個小十字架，這告訴我們什麼呢？就是把你自己的口釘在十字架上——這可不好受喔！忍氣吞聲是最痛苦的。

人爲什麼要受苦？也許是因爲必須學順服；除非受些苦，否則很難學會順服。忍受苦難就有點像主被釘在十字架上，釘子穿過祂的手、腳，別人撕破祂的衣服，雖然祂沒有犯罪，他們卻把祂釘在二個盜賊之間。祂必須如此卑微地死去，爲要救贖我們。

相形之下，保持沉默，不過是件小事，不是嗎？你將口釘在十字架上，就表示你要以耶穌的口為口，當你說：「我不想和那個人談到主」時，要記住你的口已被釘在十字架上，你的口不再是你的口了，而是基督的口。所以，只要說　神要你說的話，你的口若不是為主說話，就保持沈默。

有時我們會因　神允許苦難臨到我們而感到困惑？這完全是你的態度問題。你可以說：「主啊！我感謝祢，因為透過這些痛苦，祢要從我身上磨出寶貴的品質來。」

我的鄰居種了些有香味的植物，白天我想聞都聞不出香味來，但到了晚上——哇！不得了！香氣四溢。主開啓我，使我明白有時我們需要藉著生活中的苦難，好讓馨香能在夜間散發出來。

你必須證明自己是不是眞正得到主耶穌？當凡事順利時，你很容易心情愉快，但若在黑夜裏，一切在黯然無望時，你仍能滿有喜樂，就表示你的生命中已得到了主耶穌。

「……半夜起來必稱謝祢……」（詩一一九62）我以前眞的以為大衛王半夜爬起來稱謝主。有一天，當我在熨衣服時，突然聖靈對我說：「你知道半夜是什麼意思？就是在你最不順利，最痛苦的時刻，你仍然起來感謝　神，不自憐自艾，因為黎明就要來臨；耶穌仍坐在寶座上，祂是　神，掌管萬有一切！」

尋求智慧

「智慧婦人，建立家室。愚妄婦人，親手拆毀。」（箴十四1）家室是指家中的氣氛，而不是指眞正的房屋或建築。不是有美貌、錢財及教養的婦人建立家室，而是有智慧的婦人建立家室。我們首先要追求智慧，雖然　神命定男人爲一家之主，但却沒有要求男人如此，　神沒有說：「智慧男人建立家室，」祂說：「智慧婦人建立家室。」我們應該感到榮幸，　神將這樣的責任交付在我們女人手中。

如果妳的婚姻亮起紅燈，妳的「家室」不穩定，或「根基」動搖，妳就最好先省察自己是否有智慧。

「明哲人眼前有智慧，」（箴十七24）想得到智慧的最佳途徑就是求　神賜下智慧的靈。我們不是靠自己力量，而是靠　神的靈。　神應許「你們中間若有缺少智慧的，應當求那厚賜與衆人，也不斥責人的　神，主就必賜給他」（雅一5）。

不要老是抨擊你的那一半說：「我丈夫有毛病。」這樣，於事無補，因爲沒有人是十全十美的，你該先省察自己說：「我到底有沒有智慧？」

「你們中間誰是有智慧、有見識的呢？他就當在智慧的溫柔上，顯出他的善行來。」

如果自認爲有智慧却同時懷著苦毒的嫉妒，即是自欺。嫉妒就是自私，它不是從 神而來的智慧，「乃是屬地的、屬情慾的、屬鬼魔的，在何處有嫉妒、紛爭，就在何處有擾亂和各樣的壞事」（雅三15～16）。

有智慧的人不輕易發怒，「寬恕人的過失，便是自己的榮耀」（箴十九11）。 愚妄婦人拒絕受教，也勒不住自己的舌頭，智慧婦人不輕易發怒，易怒的婦人拆毀家室，如果你無法克制怒氣，不就表示你缺乏智慧嗎？

敬畏 神是智慧的開端，信任、敬重自己的丈夫是智慧婦人的第一步。

我們常當眾或私下指使另一半去做這個或做那個，很可能是因爲我們信不過他的能力，覺得自己會比他作得更好，而他根本什麼也不懂，我們必須告訴他怎麼作才行。

「命令」你的丈夫去做和「請求」你的丈夫去做之間有很大的差別。當你拜託別人做事時，是給對方一個選擇的機會，他可做也可不做。但當你告訴他去做時，就表示「你非做不可」了，男人最不喜歡別人告訴他該怎麼做。

智慧的特質

智慧就是滿有喜樂。「他的道是安樂，他的路全是平安。」（箴三17）當你有智慧時，你家中就不會吵鬧不休，而是安詳寧靜。

當你充滿智慧時，你會充滿喜樂，「智慧必入你心，使你的生活充滿喜樂，你的靈要以知識爲美。」（箴二10）

「……日日爲他所喜愛，常常在他面前踴躍。」（箴八30）「喜樂」這二個字希伯來原文是「踴躍」，一個智慧的婦人是一個滿有喜樂的婦人。**一個充滿喜樂的婦人建立家室，一個滿腹牢騷的婦人親手拆毀家室**。

智慧婦人知道誰坐在寶座上掌管一切，她不會自己擔負一切的重擔，只是仰望主說：「哦，祢在行一件奇妙的大事，祢一向如此，我爲什麼擔憂，而不高聲歡唱呢？」我們有一位奇妙的　神在寶座上——所以儘管雀躍吧！

當你充滿喜樂時，你會更美、更吸引人，你的丈夫會更注意到你，如果你整天愁眉苦臉，誰會注意到你？你的丈夫也巴不得逃離家門，出去看看有笑臉的人。

「主，我不夠喜樂，所以求祢賜給我智慧，我就會充滿祢的喜樂。」只要求就必得到，「靠主耶和華而得的喜樂是你們的力量。」（尼八10）

智慧就是恆久溫柔、安靜

「他（智慧）必將華冠加在你頭上，把榮冕交給你。」（箴四9）　神應許智慧會使我們更美。智慧所賜的是什麼華冠呢？我相信是一個溫柔、安靜的冠冕，在　神眼中是「極寶貴的」（彼前三4）。如果一個億萬富翁說某樣東西很貴重，那一定是眞的很貴重。擁有整個宇宙的 神既然如此說，那這冠冕毫無疑問地，是眞的很貴重了。猜猜看，爲什麼？因爲太稀少了！

溫柔就是一種智慧，有智慧就有溫柔，耶穌基督就是智慧的化身。聖經上說：「所積蓄的一切智慧和知識，都在祂裏面藏著。」（西二3）耶穌說「我的心柔和謙卑」，學祂的樣式就得安息，如此，我們就不必整天緊張兮兮的，也不必吃鎭定劑。**溫柔安靜的婦人建立家室**，但焦慮的婦人拆毀家室。

有一位女士問我：「溫柔和安靜是指什麼？」「**就是表示溫柔和安靜**！」我再度强調說。常常保持沈默是一種智慧，有時候你丈夫需要一個出氣筒來發洩他的挫折感，那你就聰明地當一個「出氣筒」吧！閃電時需避雷針，否則房子會燒掉，當你得當「出氣筒」時， 神會大大地賜下祂的恩典。

「謙卑人必因耶和華增添歡喜。」（賽廿九19）你看得出這是怎樣一個充滿喜樂的婦人嗎？如果你不快樂，試試學習溫柔謙卑！

智慧就是看重 神的話

「敬畏耶和華是智慧的開端。」（詩一百一十一10）

智慧婦人專心追求 神的話語，養成每日讀經的習慣，箴言是本極好的智慧書，我每天按

著日曆讀一章箴言，正好一個月讀完一遍。「因爲耶和華賜人智慧，知識和聰明都由祂口而出。」（箴二6）

記住，「只是你們要行道，不要單單聽道，自己欺哄自己，因爲聽道而不行的，就像人對著鏡子看自己本來的面目，看見，走後，隨即忘了他的相貌如何。惟有詳細察看那全備使人自由之律法的，並且時常如此，這人既不是聽了就忘，乃是實在行出來，就在他所行的事上，必然得福。」（雅一22～25）

行道就是**順服　神的道**。

順服的婦人建立家室，不聽從　神話語的婦人親手拆毀家室。

智慧就是不沾染世俗

「……潔淨的人有福了……」什麼事能玷汚我們？聖經說：「不可因埃及的偶像玷汚自己。」（結廿7）

外邦人的偶像就是金和銀，有些基督徒的拜偶像也是這些，貪心就和偶像一樣，「因爲你們確實的知道，是淫亂的、是汚穢的、是有貪心的，在基督和　神的國裏都無分的」（弗五5）。

貪婪就是犯罪，玷汚一個人的靈魂。「免去一切的貪心，因爲人的生命，不在乎家道豐富。」（路十二15）「律法說，你們不可起貪心。」（羅七7）

貪心的人與姦淫，通姦和醉酒的人同列，我們要治死貪心，因「貪心就是拜偶像」， 神的怒氣會降在不順服和貪婪的人身上。

貪婪敗壞了許多 神的僕人，我們要痛恨這罪，「以貪財爲可恨的，必年長日久」（箴廿八16）。神要我們逃避貪心，「你們存心不可貪愛錢財，要以自己所有的爲足。因爲主曾說：『我總不撇下你。』」（來十三5）。

我認識一位婦人因爲貪財使他丈夫入獄，而她的丈夫還是位牧師呢！由於她不斷地渴望更多的物質享受，要大房子、要新車，結果入不敷出，他的丈夫只好被迫借貸，最後琅璫入獄。

聖經勸我們：「不要勞碌求富……你豈要定睛在虛無的錢財上麼？因錢財必長翅膀，如鷹向天飛去。」（箴廿三4～5）

另外，還有一種偶像也會玷汚我們，但通常我們都不認爲那是一種偶像，那就是——頑固不冥、死腦筋和不可理喻的固執，這些都與拜偶像一樣糟糕。

敬畏 神的婦人（絕不拜偶像），建立家室，但貪婪、頑固的婦人親手拆毀家室。

毒恨會生出根來擾亂我們，叫衆人沾染汚穢（來十二15），但耶穌却能醫治我們的苦毒，祂因愛我們而釘死在十字架上，祂有憐憫、慈愛和恩典，却沒有苦毒。祂說：「父阿！赦免他們，因他們所做的他們不知道。」饒恕是醫治苦毒的唯一良藥。

饒恕人，你也將被饒恕，耶穌很簡單的告訴我們，如果你肯饒恕人，天上的父也必饒恕你，如果你不饒恕人，天上的父也不饒恕你。薛牧師在他車後的緩衝桿上貼著「**基督徒不是完全的人……乃是被赦免的人**」。

有　神的能力才能饒恕人。說到「能力」，在這裏我們通常會想到的是醫病或行奇蹟的異能，其實，能力包括饒恕，我們渴望在　神面前過一種有能力的生活，但你有饒恕人的能力嗎？

當耶穌醫治癱子的時候，只說：「你的罪得赦了。」饒恕和醫治有什麼關係呢？耶穌問道：「醫治和赦免，那一種比較容易？」這二者都是要靠　神的大能。

我們饒恕人就可得醫治。

你的婚姻需要醫治嗎？你們需要彼此饒恕，當你願意去饒恕對方時，就得著了醫治。

純潔、肯饒恕人的婦人建立家室，但含有苦毒、不肯原諒別人的婦人拆毀家室。

敬畏主就是智慧

約伯記廿八12~28記載人們善於尋找地上的財寶，但我們當如何尋找智慧呢？何處可尋智慧？聰明之處在那裏呢？智慧的價值無人能知，在活人之地也無處可尋，深淵說不在我內，滄海說不在我中，智慧非用黃金可得，也不能平白銀爲他的價值。俄斐金、和貴重的紅瑪瑙並藍寶石，不足與較量。黃金和玻璃不足與比較，精金的器皿不足與兌換。珊瑚、水晶都不足論，智慧的價值勝過珍珠。古實的紅璧璽，不足與比較，精金也不足與較量。智慧從何處來呢？聰明之處在那裏呢？是向一切有生命的眼目隱藏，向空中的飛鳥掩蔽，滅沒和死亡說我們風聞其名。

因祂鑒察直到地極，徧觀普天之下，要爲風定輕重，又度量諸水；他爲雨露定命令，爲雷電定道路；那時，他看見智慧，而且述說，他堅定，並且查究。

自我省察：

以下是幾項有關於婦女的經節，請你勾勾看你自己目前是屬於那一類型的婦人。

□有才德的婦人（箴卅一10；得三11）
□聰明的婦人（撒上廿五3）
□愚昧、喧嚷、一無所知的婦人（箴九13）
□恩德的婦人（箴十一16）
□美貌，但無見識的婦人（箴十一22）
□喧嚷爭吵的婦人（箴廿一9）
□爭吵使氣的婦人（箴廿一19，廿七15）
□犯姦淫的婦人（箴卅20）

□敬畏　神的婦人（箴卅一30）

□不知羞恥的婦人（結十六30）

□有智慧、心裏受感的婦人（出卅五26）

□美麗的婦人（歌一8，五9，六1）

□大有信心的婦人（箴十五28；來十一35）

□敬拜的婦人——澆香膏在主頭上（可十四3）

□爲　神所祝福，蒙恩的婦人（路一28；箴卅一28）

□疾病得醫治的婦人（路八2）

□被鬼附著，直不起腰的婦人（路十三11）

□跟隨耶穌的婦人（路廿三49）

□尊貴的婦人（徒十七4）

□引誘和欺騙人的婦人（提前二14）

□聖潔的婦人（彼前三5）

□謙卑的婦人（路七46）

□廣行善事，多施賙濟的婦人（徒九36）

□無知、擔負罪惡的婦人（提後三6）

□以正派衣裳爲裝飾（提前二9）、有善行（提前二10）、溫柔安靜的婦人（彼前三4）

□順服的婦人（弗五22；西三18）

□爲丈夫所稱讚的賢德婦人（箴卅一28）

第十三章　悖逆的心

「智慧婦人建立家室，愚妄婦人親手拆毀。」（箴十四1）這是一個强烈的對比，有的版本以「**悖逆**」二字代替「**愚昧**」，這豈不是清楚地告訴我們，「愚昧的人也是悖逆的人」嗎？

悖逆的根源——自我

當一個女人心中充滿叛逆、不順服時，她是向「愚昧的靈」敞開，這愚昧的靈是邪惡的，具有傳染性，尤其是小孩子很快會受到母親及同伴的感染，就像得痲疹一樣。

在我們每個人的天性中，或多或少都有些反叛的傾向，只是我們沒有察覺而已。主實在希望我們認清自己，除去一切的悖逆，否則將危機重重。

「我就是決定照我的意思做，不要人家告訴我該做甚麼！」「是的，但是……」「不，我不要……」這些都是具有叛逆性的語氣。

舊約中記載一段有關「聽命」的重要，是遠勝於我們的一切奉獻。 神對掃羅王說：「除滅一切的牲畜。」掃羅王說：「是的，但……我將上好的羊留下，要獻與耶和華你 神。」（撒上十五21～23） 神說：「我曾立掃羅爲王，但我後悔了，因他轉去不聽從我的命令。」

「惡人獻祭，爲耶和華所憎惡。」（箴十五8）

「聽命勝於獻祭，順從勝於公羊的脂油，悖逆的罪與行邪術的罪相等；頑梗的罪與拜虛神和偶像的罪相同。」（撒上十五22～23）

你是一個行邪術的人嗎？

「我不是！」

那麼不要再悖逆吧！

如果你頑固不化，就是在拜偶像，這偶像就是你自己。你隨心所欲，爲所欲爲，自高自大（强硬、傲慢、背叛）沒有人能改變你，你就是以「**自我**」爲偶像。「心中乖僻的爲耶和華所憎惡。」（箴十一20）

常有婦女對我說：「爲甚麼 神不用我？我願奉獻自己，我該在那裏服事？」

我告訴她們，在 神眼中「器皿」本身比「服事」更重要。

「藉愚昧人手寄信的，是砍斷自己的腳，自受損害。」（箴廿六6）「雇愚昧人的、與雇過路人的，就像射傷衆人的弓箭手。」（箴廿六10）

你又聰明又能幹，但也許你會奇怪爲何　神不用你呢？首先，要除去悖逆的心，悖逆與撒旦同夥，　神不能信任一個不順從的人。

「智慧極高，非愚昧人所能及，所以在城門內，不敢開口。」（箴廿四7）

神警告我們不要聽從悖逆之人的勸告，「到愚昧人面前不見他嘴中有知識」（箴十四7）。此外，悖逆的人不容易接納意見，「鞭子是爲打馬，轡頭是爲勒驢，刑杖是爲打愚昧人的背」（箴廿六3）。悖逆也會遭到嚴重的審判「刑罰是爲褻慢人豫備的，鞭打是爲悖逆（愚昧）人的背豫備的」（箴十九29）。

有一次，我們到耶路撒冷旅行的時候，曾經參觀了一個行刑的地方。在那裏，犯人的雙手被綁在由天花板一直垂下的兩個大圈圈上，身體吊在半空中，背上滿是鞭痕累累。想當年，主耶穌也是爲我們受刑罰，因祂受的鞭傷我們得醫治，祂醫治我們的身體和心靈的創傷。

悖逆是一種病態！有些人就是不顧別人的意見，一味的反對。但只要誠心的禱告：「主耶穌，謝謝祢爲我的悖逆所受的痛苦；我求祢今天來醫治我，靠耶穌的名，除去我心中所有的悖逆；主，幫助我憎恨悖逆與驕傲，如同祢憎恨它們一般，奉主的名，阿門。」

悖逆的根源——驕傲

有一天早晨，　神感動我在一次婦女會上談驕傲。我把聖經中有關驕傲的經節打字整理出來（請看索引），發現驕傲就是悖逆的根源。

撒但原也是　神所造的，但因驕傲而背叛了　神，撒但說：「我要像　神。」　神說：「不行，」於是，將牠丟下地獄。

「敬畏耶和華是智慧的開端。」（詩一百十一10）「敬畏耶和華在乎恨惡邪惡。」（箴八13）如果我們敬畏　神，我們就會恨惡　神所恨的。因此，我們可以說：「恨惡驕傲是智慧的開端。」箴言中記載　神所恨惡的事有六樣，猜猜看第一樣是甚麼？就是「高傲的眼」，也就是驕傲。

爲甚麼　神這麼在意驕傲？**因爲驕傲是撒但用來破壞我們家庭的武器**。首先是口角，然後是爭端，最後見律師、上法庭。一切的勾心鬥角，都是來自驕傲。「好氣的人，挑起爭端。」（箴廿九22）暴怒的根源也是驕傲。

如同驕傲導致悖逆、愚昧；相對地溫柔導致順服、智慧。我們要用智慧來代替愚昧，用溫柔來取代驕傲。

學像耶穌能克服驕傲，因祂說：「我心裏柔和謙卑。」（太十一29）

大衛是個偉人，他知道　神使他爲大。「祢的溫和，使我爲大。」（詩十八35）大衛是一個強壯的戰士，同時，他也擁有一顆藝術家的靈魂。集詩人、音樂家、政治家於一身，而且精通樂器，又寫又唱，擁有財富及尊榮等。有一天，他左右思量，爲何　神使他爲大？我揣摩那時他向　神的剖白，可能是這樣：

哦！　神！祢是如此奇妙，我靈渴想祢，我知道祢使我爲大。豈不是祢賜我勇氣，使我牧養的羊羣脫離豺狼，並救以色列人脫離非利士人的手？豈不是祢將音樂充滿我靈，賜我才氣寫詩，且以君主的財富和尊榮使我爲大？但我得罪了祢，我羞慚不敢再見祢的面；祢並沒有說：「爲甚麼？你這愚昧的人……我不是告訴過你……你最好……聽到沒有……你豈能……？」然而，祢卻藉著先知拿單以故事來指點我，我向祢痛悔時，祢原諒了我；祢仍然愛我，稱我是合祢心意的人；祢以何其溫和的方式使我全心歸祢！我絕不再使祢憂傷；我要走祢的道路，祢就教導我，使我爲大。哦！　神，是祢的溫和使我爲大！

大衞是靈裏的勇士——我們不是以血氣來爭戰，而是用靈來爭戰的。你先生不是你的敵人，也許你認爲：「如果我能離開他，一切就都好了。」哦！不可以——你的家人和丈夫，不是你的敵人，魔鬼才是你的敵人。我們是與管轄這幽暗世界的，以及天空屬靈氣的惡魔爭戰，而我們的兵器，就是溫柔謙卑。

溫柔與謙卑

溫柔能打敗魔鬼破壞家庭所用的兵器——驕傲，當你看到別人的高傲時，你該謙卑地想想：「或許我本身有更多的驕傲，是自己一直沒有打碎的。」不要把一切歸咎於你的丈夫，而該省察自己說：「 神阿！改變我，因我需要以溫柔爲兵器來擊敗魔鬼的詭計。」

有些人覺得溫柔是種懦弱的表現，**但實際上必須具備勇敢和力量，才能有眞正的溫柔**！在聲樂課上我學到一個很重要的原則：不要以爲要使音量大，就非得使勁用力唱不可，其實正好相反。一位優秀的聲樂家絕不會扯著嗓門喊叫，愈是柔和的音，愈得花較大的力氣。

「你們中間誰是有智慧、有見識的呢？就當在智慧的溫柔上顯出他的善行來。」（雅三13）溫柔就是智慧，「驕傲來，羞恥也來，謙遜人卻有智慧」（箴十一2）。

如果你溫柔的話，你就是有智慧的，因你已用 神的兵器去打敗想破壞你家庭的驕傲。我們需要以這種由 神而來的溫柔作爲和魔鬼爭戰的兵器。

神說祂與敬畏祂的人同在，必指示他們當行的道路——「祂必按公平引導謙卑人，將祂的道教訓他們。」（詩廿五9）有時候我們一意孤行，結果一事無成。但主說：「你爲甚麼不先得智慧，尋求謙卑？然後我必指示你將行的路。」

「為甚麼我丈夫老是瞧不起我及我的朋友?他實在太氣人了!」他之所以會這樣驕傲，是因他心中有悖逆、反叛;但是，如果你自己也有悖逆的心存在，就不太可能除去他心中的悖逆。

這是一場悖逆對悖逆的戰爭，如果你想要你丈夫與　神和好，不再抗拒　神，首先，你要除去你心中的悖逆。　神已告訴你一個秘密:柔和謙卑。當一個婦人以溫柔與安靜為裝飾時，不但能以柔克剛，而且會承受一切　神所賜下的恩典，因　神賜恩給謙卑的人。你願意你在磨難的日子裏滿有　神的恩典嗎?

驕傲，如同老鼠、蟑螂隱藏在我們的家中，現在該是滅絕它們的時候了!

一九七五年，我們家有一場「老鼠之戰」，情形是這樣的:

一天夜裏，我的女兒悅愛聽到閣樓上有「吱!吱!」的聲音，急忙叫道:「媽，樓上有老鼠，妳要快想辦法呀!」我丈夫打電話給滅鼠公司，請專人來檢查。那人在屋外看看說:「太太，妳的房子成了老鼠窩了!」我覺得眞丟臉，「但我已請人來灑過藥!」我一再强調說。「有許多入口，老鼠又會跑進來。」他告訴我。「你還沒進屋怎麼知道有老鼠?」我好奇地問他。「我看到電話線四周都有鼠屎，還有進來的洞口。」他說。我們四處繞了一周，他指給我看水管、冷氣、屋簷，還有加蓋的小屋等都是小縫隙，正是老鼠的入口。

這人給我一些滅鼠藥及一張說明書，告訴我怎樣封死外面的縫隙。

從此，老鼠就絕跡了！

如果你發現自己有反叛的個性，不要覺得羞愧，每個人都有，只要向叛逆宣戰：對抗悖逆的戰爭從今天開始，你會戰勝的！

老鼠的事使我學到一樣功課：那就是爲甚麼有些已禱告得釋放的人，仍會被「邪靈」攪擾呢？這些「邪靈」也許已經被趕出去了，但是，牠還是會藉著其它入口再進來，因爲——有許多的漏洞尚待填補。

主阿！洞在那裏？請幫助我們補上每一個缺口，不要讓悖逆的靈乘隙而入。

約伯在　神眼中是個義人，當他遭受各種苦難的時候，他向　神爭辯：「爲甚麼這些事都發生在我身上？」最後，他終於認清自己是悖逆的，所有的苦難都顯露他的驕傲。當約伯認罪後，　神就使他從苦境中轉回。

有時我們也會懷疑爲何會遇到苦難？其實　神是要使我們認清自己的驕傲。若不藉著苦難，我們不會看見自己的驕傲。　神無法使用驕傲的人，除非我們治死驕傲，成爲眞正順服、謙卑的人。

驕傲能污穢人。「因爲從裏面，就是從人心裏發出惡念、苟合、偷盜、兇殺、姦淫、貪婪、邪惡、詭詐、淫蕩、嫉妒、謗讟、驕傲、狂妄，這一切的惡，都是從裏面出來，且能污穢人。」（可七21～23）所以，如果你想：哦！驕傲是污穢的。那麼，就不要驕傲；叛逆也是污穢的，「因爲凡世界上的事，就像肉體的情慾、眼目的情慾，並今生的驕傲，都不是從父來的，乃是從世界來的」（約壹二16）。

怎樣才能遠離驕傲呢？就是隱藏在　神裏面。有時，即使你不去想，魔鬼也會引誘你驕傲，「哦，看看你做的！」你必須向　神呼求：**不要讓我被絆倒**。當你被引誘時，只要全心讚美感謝　神，　神必住在讚美中，你就可隱藏在　神裏面。凡事只要定睛仰望耶穌、讚美祂，不僅求　神同在，同時你也可以隱藏在祂裏面，只要承認「哦，我所有的一切都是出於神」！

聖經常以相對句來說一件事，例如：「祢必把他們藏在祢面前的隱密處，免得遇見人的計謀。祢必暗暗的保守他們在亭子裏，免受口舌的爭鬧。」（詩卅一20）人的驕傲和口舌的爭鬧是一體的，因有人的驕傲，就有口舌的爭鬧。你和丈夫或親戚朋友之間，不和睦的根源就是驕傲。要謙卑下來，保持安靜，就不會爭吵。俄巴底亞書3節告訴我們驕傲和自欺是不可分的。「住在山穴中，居所在高處的阿，你因狂傲自欺，心裏說，誰能將我拉下地去呢？」我們再來看驕傲的後果：「但他心高氣傲，靈也剛愎，甚至行事狂傲，就被革去王位，奪去榮耀。」（但五20）此外，還要留心驕傲會發芽，「看哪，日子快到了，所定的災已經發出，杖已經開花，驕傲已經發芽。」（結七10）求　神幫助你在驕傲還沒發芽的時候就拔掉。不論何時只要驕傲一發芽，你就要立即拔除，否則一旦開花就太晚了。

有時，青少年的管教發生問題，也可能是由於父母親的驕傲所導致。有些父母很自義，不肯承認自己也有不對的時候，以致孩子們視父母為假冒偽善的人，結果，更加叛逆，不走正路。因為他們會說：「看看我媽媽，從不認為自己有錯，我們是看清她的面目了！」

如果眞有智慧的話，你該向你的女兒道歉說：「我也會犯錯，我也希望自己更有智慧些，我有許多功課要學習。盼望你們能原諒我以前誤會或沒有體恤你們的地方。」聖靈會指出你的錯處，你只要承認就好了。

以前我常在主面前痛哭說：「看看這些不孝的兒子！」我常常指責他們。 神最後告訴我：「不必先急著為他們禱告，只要為你自己禱告——你才是需要被改變的一個。」於是，我開始為自己禱告，將兒子交在 神的手中。「主，我是需要被改變，請告訴我該如何？」以往我總不覺得自己有甚麼不對，從那時起， 神打開我的眼睛，讓我看到自己醜陋的一面。我對兒子感到十分的內咎，他們怎能忍受我這麼多年？可憐的傢伙，難怪他們會變得叛逆！

現在，他們已大不相同了。每次他們分別從紐約、夏威夷等地打長途電話回來，一談就是半小時，他們的姊妹們總是提醒說：「你們不心疼長途電話費嗎？」但他們說：「沒關係。」當我們到夏威夷去探視小兒子時，他堅持讓我們睡大床，自己則打地舖睡，如此連續了三個禮拜；同時，他也送我玫瑰和許多不同的花，使我大大的驚喜。

彼此饒恕

「驕傲只啟爭競，聽勸言的卻有智慧。」（箴十三10）「驕傲來，羞恥也來；謙遜人卻有智慧。」（箴十一2）

有許多女人抱怨說：「我的丈夫不忠實。」其實，我大致可猜到緣由：這女人是愚昧的。爲甚麼愚昧？因爲她的悖逆。如果你心中悖逆，就不願聽從丈夫，也不會順服　神。愚昧會使你不敬重自己的丈夫、漠視他的需要，因你不能好好照顧他，所以他會飢不擇食。當然，他也是愚昧的，但是他的妻子也絕不是有智慧的婦人。不要再愚昧、無知了，也許你就能使他回心轉意。

有智慧的人就會消除毒化我們身、心、靈的怨恨、不滿、傷害和痛苦。

如果基督能饒恕我們，我們爲何不能饒恕別人呢？聖經告訴我們「你們若不饒恕人，你們在天上的父也不饒恕你們的過犯」（可十一26）。如果你不能饒恕你的兄弟或丈夫，　神將不會饒恕你。我們實在需要被饒恕，如果你認爲你並不需要，就是瞎了眼。

說自己不需要別人原諒，就像說：「我不需要洗手，我的手又不髒」一樣，然而，我們雖看不見手上的許多細菌，爲了確實使手乾淨，還是要洗手。在我們的生活當中，也常看不見一些事，就說：「我不需求別人原諒，我有甚麼不對？」這時，只要告訴　神：「主！求祢饒恕我一些我自己都不自覺的錯誤。」一旦你謙卑下來，　神就會打開你的眼睛，告訴你甚麼地方不對；如果你仍不知道，那麼，就問你的丈夫，他一定會告訴你！

當丈夫太驕傲，不肯尋求　神時，看看　神的應許：「現在我尼布甲尼撒讚美、尊崇、恭敬天上的王，因爲祂所作的全都誠實，祂所行的也都公平，那行動驕傲的，祂能降爲卑。」（但四37）只要相信　神能使驕傲的降爲卑，祂能改變他。只是自己小心別驕傲，否則你反會成爲絆腳石。　神阻擋一切驕傲的人，如有隱藏的驕傲，　神會阻擋你及你的丈夫，家中必常有爭鬧，沒有喜樂、愛及平安。只要自己謙卑禱告，尋求　神的面，然後　神就會與你同在。

驕傲也會蒙蔽雙眼，使你無法看到對方的長處。他是　神爲你所造最合適的人，當你輕視他就等於輕視　神，因　神造他就是這個樣子。你不認爲　神是一個偉大的創造者嗎？你覺得自己會比　神造的更好嗎？你丈夫的優點可能被隱藏住，直等到你眞正謙卑下來，然後　神才會讓你丈夫的優點顯露出來，這是個秘訣！你絕看不到你的丈夫有多好，直等到你肯謙卑下來。　神會打開你的眼睛，使你可以看到　神給你的是一個無價的寶藏。可是，當你仍不斷批評、責罵、輕視他時，你將永遠被自己的驕傲所蒙蔽。

「戲笑父親，藐視而不聽從母親的，他的眼睛，必爲谷中的烏鴉啄出來，爲鷹雛所喫。」（箴三十17）這是多可怕的事啊！魔鬼會啄出我們屬靈的眼睛，蒙蔽我們的心，使我們得不到引導；當你嘲笑、藐視別人時，就是輕視造他們的　神。

神是想要開啓你的眼睛，讓你看到你的丈夫是多麼好，但魔鬼只想使你丈夫的臉罩上面具，以致你看不見對方的優點，只見到一張醜陋的假面具。

不要灰心地說：「沒有希望了！」只要　神活著你就有希望。　神絕不願我們輕易放棄努力，而走上離婚或分居之途。

繼續信靠　神，好像約伯一樣，「即使祢殺了我，我仍要相信祢」。　神會說：「現在我來替你解決！」祂在等我們將問題交給祂，在　神沒有不能解決的難題！

魔鬼常會披上美麗的外衣來掩飾自己，恣意破壞夫妻間的感情。牠會說：「不要承認你有錯，何必委屈自己！」這就是驕傲在作祟。

聖經說：「愚昧人爲妓女的巧言所欺騙。」如果你丈夫缺乏智慧，可能會做出愚昧的事來，譬如犯姦淫，「與婦人行淫的，便是無知」（箴六32）。　你會說：「我丈夫眞是愚昧，我又能怎麼樣呢？」但如果你有智慧的話，你就能挽回一切。

往往丈夫的愚昧無知，乃因爲他的妻子也是個沒有智慧的人，換句話說，二人是互相影響的。但當你站在　神的那一邊，而且被聖靈充滿，你就能戰勝一切！經上說：「因爲那在你們裏面的，比那在世界上的更大。」（約壹四4）你要專心依靠　神，戰勝你的敵人——愚昧和叛逆。「願　神興起，使祂的仇敵四散。」（詩六十八1）

對性生活有正確的態度也是很重要的。每當我們堅持己見，很難體諒男人的觀點時，我們就會抱怨：「總是依他，討好他。」然而，性對男人來說却是相當重要，這是他的本能；但對女人來說，也許就不那麼重要了。

爲何不肯做些他認爲重要的事而使他快樂呢？性生活出問題，往往不是因妻子性冷感，而是妻子的驕傲及不正確的態度。我們常會自義和自以爲屬靈！「哦，我們不來那個，多沒意思！」

你丈夫想和你親熱並不是壞的事，糟糕的是他想和別的女人親熱。該感謝你丈夫要的是你，而不是別的女人。神說：「婚姻人人都當尊重，床也不可污穢。」（來十三4）

也許你既漂亮又能幹，但如果在你靈性中有隻「死蒼蠅」，你整個生命就會被蹧蹋。這「死蒼蠅」可能就是你的「不順服。」

讓我們來分享一位女士的見證：

有人說，如果有父母希望在家中有權威，自己就要先服在　神的權威之下；個性强的母親，通常她的孩子也會如此。我從來就不屈服任何權威之下，自然我的孩子反叛性也很强，記得有一天我謙卑地禱告　神，求祂顯明祂在我身上的帶領時，我第一次聽見丈夫對孩子（那時他十三歲）說：「去幫你媽收拾桌子！」這是　神在動工，這件事激勵我，使我知道　神會繼續幫助我，只要我繼續與祂交通。

當撒但對你說：「難道你不覺得厭倦？每次爭執，錯總是在你！難道你不灰心？每次你都得先認錯？」你要靠耶穌的名，斥責撒但的詭計。當母親與　神關係密切時，神自然會使孩子聽她的話，而通常是藉父親的口說出。

神非常清楚地描述祂對我們的期望：「又勸老年婦人，舉止行動要恭敬，不說讒言，不給酒作奴僕，用善道教訓人，好指教少年婦人，愛丈夫、愛兒女、謹守貞潔、料理家務、待人有恩、順服自己的丈夫，免得　神的道理被毀謗。」（多二3～5）我深信　神既然如此要求我們，祂就會賜給我們能力。

我一直求　神幫助我克服「自我中心」的缺點。

最近我得到一架夢寐以求的風琴，雖然彈得不好，却愛不釋手。我的生活非常忙碌，除了上班之外還有忙不完的家務，一個禮拜中難得空閒。在一個禮拜天晚飯過後，我終於有空摸摸琴，儘情享受一下。當彈到第二首曲子時，丈夫突然跑來說：「你不介意幫我公司同事烤一個義大利奶油蛋糕吧？沒甚麼特別的事，只是想給他們一個驚奇！」

我馬上露出甜美的微笑說：「好啊，我很樂意！」於是我蓋上琴蓋到臥房換上圍裙，但是心中却向　神抱怨：「難道他不知道我已許久渴想彈風琴，還常爲此禱告，期望有空閒的一天，但他卻要我爲他公司的同事烤蛋糕，而且又不是什麼特別的日子！」

這時，主提醒我今天早上發生的一件事。由於這個禮拜他開始戒煙，所以早上禱告的時候，我特別對神說：「主阿！告訴我該怎樣來表示我對他的愛及感激他戒煙的努力？」主出了個主意：烤個蛋糕！烤個蛋糕！

於是我穿上最漂亮的圍裙，一路快樂地舞到廚房，臉上不再是裝出的假笑，而是由心底發出的眞微笑，充滿了對丈夫及主耶穌的愛。

你不難想像這蛋糕會有多棒！每隔一陣子，他就跑來廚房對我說：「你知道嗎？當公司同事說想吃你的蛋糕時，我多麼以你爲傲！」其實他根本不必如此地捧我，因爲在烤蛋糕的那段時間，我的心就已經覺得甜蜜無比了。

等蛋糕烤好後，我再度坐在風琴前，他坐下來專心聽我錯誤百出的琴聲，好像很欣賞的樣子。幾分鐘後，他說：「你今晚想不想去教會？」你可想像我有多高興！只有不斷地讚美主！

如果你丈夫每禮拜天的晚上都陪你上教堂，那就不足爲奇，但對我來說卻是極不尋常，這等於　神對我說：「你只要留心聽我的聲音，你的丈夫那方面由我負責。」

我告訴我丈夫，我的責任不在告訴他怎樣做，而是聽　神的話，主自會負責他這方面的事。我丈夫說：「實在有道理，說這話的人知道自己在說些甚麼！」

「人所行的，若蒙耶和華喜悅，耶和華也使他的仇敵與他和好。」（箴十六7）我深信神所說的每一句話，神能使一個婦人與丈夫和好，而這一切完全在於這婦人和主耶穌之間有沒有親密的關係！

第十四章　歌唱讚美主

唱詩讚美　神是一種生活方式。舌頭是用來歌頌主，而不是用來傷害人！愚昧婦人出口即令人難受，智慧婦人卻使家中充滿歌聲和喜樂！

在廚房忙的時候，可以哼哼唱唱，不但能保持心情愉快，而且作出來的菜會更加可口。常常唱歌會使你做起事來更起勁，試試邊擦洗浴缸，邊唱歌，浴缸一定擦得很乾淨。當我們唱歌讚美主時，許多事情都會奇妙的改變！

「主是用以色列的讚美為寶座的。」（詩廿二3）我們讚美　神，就是以寶座來迎接神。通常我們請貴賓入座時，都是請上座，你的家是請耶穌坐在那裏呢？

讚美主，凡事穩妥

我最喜歡的一段禱告是：「主啊！願祢的榮光照耀我。」就是說：「主耶穌，我親近祢，當祢與我同在，凡事穩妥、順利。」

我家老大戴惠，在小時候有一次摔斷了膀臂，那時正好是晚上，根本無法及時送進醫院。他痛得大哭，我們一邊禱告，一邊走來走去，最後想爲什麼不唱歌呢？於是我們開始以歌唱讚美 神，不久就發現哭聲停止了，主的同在已使得戴惠安然入睡。

我的小女兒戴慈，每次經期一來就痛得要死。我總是爲她禱告、唱歌，可是只要一停下來，戴慈就會說：「媽，繼續唱，簡直像天使的聲音一樣，你唱讚美詩時，我一點也不感覺痛了！」

有位女士說，她兒子發燒時，她也試着唱歌，結果這小孩說：「媽，繼續唱吧！當你唱讚美詩時，我看見耶穌坐在一座大寶座上！」第二天，他的燒就退了，感謝主。「錫安城阿，應當歡樂歌唱，因爲我來要住在你們中間，這是耶和華說的。」（亞二10）

你有沒有想到 神喜愛祂所愛的人唱歌，並且是滿有喜樂地歡唱，「耶和華你的 神是施行拯救、大有能力的主。祂在你中間必因你歡欣喜樂，默然愛你，且因你喜樂而歡呼」（番三17）。

每次在謝飯禱告的時候，我總是想：如果 神聽到我們的歌聲，一定會更祝福我們。有時候我懷疑 神會不會覺得我們一成不變的「禱告詞」很「枯燥」？也許祂會說：「我希望他們能有更創新的方式與我交談，爲何總是乞求？爲什麼不像朋友？」

神也渴望我們愛祂，這是祂對我們唯一的要求，甚至命令我們去愛祂！「你要盡心、盡性、盡意、盡力愛主你的神……再也沒有比這……誡命更大的了。」

耶穌在被釘死於十字架之前，和祂的門徒一同唱詩，「他們唱了詩，就出來，往橄欖山去。」（可十四26）

記得當我生女兒悅慈時，心想：「唱歌總比喊叫、呻吟好。」因此在進產房時，我就開始唱歌，護士十分驚訝，摸摸我的頭，看看我是不是有毛病。那位女醫師說：「這是我見過最美的一次生產！」我以唱歌、讚美為主預備了寶座，耶穌來到我的產房，掌管一切！

用靈歌唱

用靈歌唱是表示我們以一種從未學過的語言，用　神感動我們心靈而發出的曲調歌唱，就像與　神對唱情歌，這是為造就我們。別讓魔鬼奪去這最美的福份，牠只想告訴你，「舌頭是邪惡的」！魔鬼永遠是騙人的！牠嫉妒別人得着祝福。

當我丈夫在大溪地傳道時，很多人都得到聖靈的充滿。有一天晚上，會衆問：「今晚有沒有特別的音樂節目？」我說：「為什麼不用靈歌唱？就當作我們的特別音樂！」

「怎樣用靈歌唱？」他們問道。

「你們是如何接受聖靈的洗？豈不是對耶穌唱哈利路亞，告訴　神你多麼愛祂就行了。同樣地，只要敬拜祂、愛祂，聖靈就會給你一首新歌。」

二十分鐘後，他們用靈歌唱，聲音非常地和諧，而且以一種柔和的輕音結束，這是教會頭一次一起用靈歌唱。

第二天，詩班指揮來幫我們將詩歌翻成法文，他是一位由瑞士來的英文老師，就住在我們教會的對街，他說：「昨晚誰指揮詩班練習？」

「我們只是用靈歌唱被聖靈充滿，大家閉上眼舉起雙手一起敬拜耶穌，並沒有人指揮。」我告訴他。

「但它們聽起來很像極不容易演唱的古典聖樂！」

他非常訝異，決定當晚也來參加聚會，結果大吃了一驚。原來他聽到有些根本不會說英文的女孩子說著標準的英文。「我知道這是一項奇蹟！」他大聲說。

在香港時，有位弟兄一直不明白爲甚麼需要唱靈歌。可是有一次當會衆一齊用靈歌敬拜時，他看到一個異象，那就是耶穌豎起耳朵，臉上帶着微笑聆聽著，好像很高興的樣子。這個人說：「現在我終於知道爲甚麼要用靈歌唱？原來這樣可使耶穌歡喜快樂！」

天使也高聲歡唱，他們唱著歌，宣告基督降生的喜訊。「忽然有一大隊天兵，同那天使讚美　神說，在至高之處榮耀歸與　神，在地上平安歸與祂所喜悅的人。」（路二13～14）

神一定高興聽到我們讚美的歌聲！

神差派天使來看顧祂的兒女，我想當我們唱歌讚美　神時，就像發出一求救的訊號，天使聽見了歌聲，就記得　神所吩咐的：「到那發出讚美的地方去。」他們被讚美聲所吸引。

以頌讚得勝

舊約中記載，曾經有一場戰爭就是靠一隊詩班得勝的！「……與民商議了，就設立歌唱的人，頌讚耶和華，使他們穿上聖潔的禮服，走在軍前讚美耶和華說，當稱謝耶和華，因祂的慈愛永遠長存。衆人方唱歌讚美的時候，耶和華就派伏兵擊殺那來攻擊猶大人的亞捫人、摩押人和西珥山人。他們就被打敗了。」（代下廿21～22）

脫離困境的秘訣就是讚美　神，「祢必以得救的樂歌四面環繞我。」（詩卅二7）「摩西……向耶和華唱歌說……」（出十五1）「以色列唱歌……」（民廿一17）「那時底波拉和……巴拉作歌說……」（士五1）

摩西和底波拉都是屬靈的偉人，他們都知道唱歌、讚美　神的秘訣。你正陷入低潮之中嗎？唱吧！「睡在塵埃的啊！要醒起歌唱。」（賽廿六19）

隨時隨地讚美　神

早起唱詩也是聖經中提到過的。「早晨要高唱祢的慈愛。」（詩五十九16）晚上也要在床上歌唱，「願聖民因所得的榮耀高興，願他們在床上歡呼。」（詩一四九5）如果夫妻倆能在床上多唱些歌，就會少吵些架。

我們的小女兒悅慈，呀呀學語的第一個字就是「哈利路亞」，甚至比說「媽媽」還早。我們一位朋友就叫她「哈利路亞娃娃」，在她還不會講話時，就會自己唱歌入睡。有一次一位客人說：「我聽過嬰兒哭著入睡，但這還是頭一回聽見嬰兒唱著歌入睡！」

如果你的孩子想在床上唱歌，不要制止他們，因爲　神正在教他一個奇妙的秘訣，會使天使整夜來四周保護他們。

如果你很不容易背經文時，那麼就用唱的吧！

「要向祂唱詩、歌頌。」（詩一〇五2）　神希望我們唱出經文。我們教會的兒童在幾分鐘內就背住十誡或登山寶訓，因爲我們將這些經文譜成曲子，他們覺得這樣背聖經既容易又快樂。我有一首關於聖靈果子的詩歌，當地的孩子們都很喜愛，也都能朗朗上口。

你有沒有以詩歌來勸戒人？這是包了糖衣的譴責，比較容易讓人接受！「當用各樣的智

慧，把基督的道理，豐豐富富的存在心裏，用詩章、頌詞、靈歌、彼此教導、互相勸戒、心被恩感，歌頌　神。」（西三16）

你是否覺得靈性枯乾？唱出你的禱告吧！既討　神喜悅，又可向　神傾心吐意。我常對人說：「享受　神！高興地對　神歌唱，告訴祂，你多麼愛祂！」你的舌頭歡呼，你的靈魂也會跟着喜樂。「我歌頌祢的時候，我的嘴唇，和祢所贖我的靈魂，都必歡呼。」（詩十一23）

第十五章　舌頭的對付

在「唱福音」詩歌集中有首歌名叫「舌頭」。舌頭雖小，但其力量却不可忽視，它可影響家庭及婚姻的成敗。這首歌歌詞如下：

「若有人在話語上沒有過失，他就是完全人，也能勒住自己的全身。弟兄們，你們不可彼此批評，人所說的閒話，當審判的日子，必句句供出，生死在舌頭的權下。」

聖經上說：「若把嚼環放在馬嘴裏，叫他順服，就能調動他的全身！」（請參考有關「舌頭」的索引）。

舌頭需要被制伏，「唯獨舌頭沒有人能制伏」（雅三8），但却能被　神的靈所制伏。

智慧婦人的舌頭發出喜樂，愚妄婦人的舌頭發出哀怨。箴言中凡是和舌頭、說話等有關的經節，我都在旁邊的空白處寫上「舌」字。如果能專心對付舌頭，那麼百分之九十的婚姻問題都可以解決。

當彼此拒絕寬恕時，整個家就動搖了！

你可能並不想故意拆散你的家，但有太多的妻子卻常使先生的自尊心受到傷害。她在孩子面前不斷將他撕成一片片：「哦！這就是你們的父親，從來就沒有做好一件事……」

怎樣對付舌頭呢？

「心裏所充滿的，口裏就說出來。」（太十二34）我們心中所充滿的，就會由口中發出，就像一個資料處理中心，放進去什麼，出來的就是什麼，所以我們心裏想什麼，嘴裏就說什麼。

如果我們了解舌頭的威力及危險，如同一上了膛的槍一樣，我們說話就會更小心。有一位女士告訴我說：「我現在坐我先生的車子時，不像以前，時常向他回嘴，遇到意見不同時，我都保持安靜。」（她剛讀完這本書的一些原則），結果，她丈夫第二天竟送了一輛新車給她！

許多人離婚都是因舌頭造成的，「我實在不該說那些，我眞的不是有意說的。」你的口不擇言會不斷刺傷「一家之主」，不久整個家都會瓦解了！

我們一定會捨不得弄破最好的窗簾，或是在漂亮的傢俱刮上一道痕跡——因我們不想破壞美好而有價值的東西，但許多婦人卻缺乏智慧，蹧蹋了自己的家，惟有溫良的舌頭可以堅固家庭和教會。

每當我們向人抱怨時，就等於給自己吃致命的毒藥。當你消極、自憐地想像一切不好的事：「我丈夫不再愛我了！」你知道你自己吃了什麼嗎？你已經吃了毒藥了。智慧婦人建立家室，愚妄婦人親手（口）拆毀。

有位婦人很會在三餐上變化花樣，她先生非常有口福。這位先生的老闆很羨慕，希望自己的太太也能如此。他太太說：「你要我煮些好菜來討好你嗎？」她真的燒了許多好菜。但事後這位老闆告訴別人說：「我太太是燒了許多我愛吃的菜，但她把菜往桌上一擺說：『都在這兒，你想要就都給你，這一下你可高興了吧？』」

他滿足了口腹之慾，但在精神上却沒有得到安慰。若沒有愛，即使是把世界上烤得最好的牛排丟在桌上，說：「在這兒，你想要的都給你了！」我不認爲這牛排會好吃，說不定還會令人消化不良。

舌頭掌握了生死大權。當你口中發出愛的言語時，你是在與人分享生命的喜悅，就像送氧氣入肺一般。當你憤怒、不滿、怨恨時，所說的話如同毒素一般，對人並沒有好處。

我以前認爲聖經中說「餵養我的羊」是指牧師將　神的話餵養會衆（講道）。但後來我發現每次我們對人說話，就等於是在餵養他們。我們若不是給人眞理就是給人謊言，若不是給人愛就是給人恨，若不是帶來生命就是帶來死亡。

以上是聖經中有關「舌頭」應對的一些實際原則，我們要禁忌自己去做的方面包括如下：

1.「不可批評、論斷別人。」（雅四11）

2.「多言多語，難免有過。禁止嘴唇，是有智慧。」（箴十19）

3.「要別人誇奬你，不可用口自誇。」（箴廿七2）

4.不要爭吵。「分爭的起頭，如水放開，所以在爭鬧之先，必當止息爭競。」（箴十七14）

5.不要嘮叨。「遮掩人過的，尋求人愛，屢次挑錯的，離間密友。」（箴十七9）「愚昧人張嘴啓爭端（嘮叨）。」（箴十八6）

6.不要傳舌。「傳舌的，離間密友。」（箴十六28）

7.「不要彼此說謊，因你們已脫去舊人和舊人的行爲。」（西三9）「義人恨惡謊言，惡人有臭名，且致慚愧。」（箴十三5）「說謊言的嘴，爲耶和華所憎惡。」（箴十二22）「謊話是我所恨惡，所憎嫌的。」（詩一一九163）「愚頑人說美言本不相宜，何況君王說謊言呢？」（箴十七7）

8.「咒罵父母的，他的燈必滅，變爲漆黑的黑暗。」（箴廿十20）

9.不要讒謗。「隱藏怨恨的，有說謊的嘴，口出讒謗的，是愚妄的人。」（箴十18）

我們要操練自己去做的方面包括如下：

1.滿有恩慈——這是第一個法則。「他舌上有仁慈的法則。」（箴卅一26）

2.有智慧。「他開口就發智慧。」（箴卅一26）

3.溫良。「溫良的舌，是生命樹。」（箴十五4）「溫柔的話語能使生命健康。」（直譯）

4.慢慢的說。「你們各人要快快的聽，慢慢的說，慢慢的動怒。」（雅一19）「快言快語必敗壞事情。」（箴十三3直譯）

5.要喜樂——喜樂的舌頭會發出歌頌。這個字「喜樂」在中文裏是指快樂的聲音，「有喜樂的呢？他就該歌頌。」（雅五13）

6.祝福別人！

當我們學習去祝福別人時，就蒙祝福。「逼迫你們的，要給他們祝福，只要祝福，不可咒詛。」（羅十二14） 別人對你吼叫時，不要難過，只要在心中祝福他們，看看會有什麼結果。「我的心哪，你要稱頌耶和華，凡在我裏面的，也要稱頌（祝福）祂的聖名。我的心哪，你要稱頌（祝福）耶和華，不可忘記祂的一切恩惠。」（詩一〇三1～2）

「以撒叫了雅各來，給他祝福，並囑咐他說……」（創廿八1）如果在囑咐（命令）我們兒女之前能先祝福他們，就不會有「代溝」發生了。以撒叮嚀雅各不可娶迦南女子為妻，結果他成功了！讓我們再聽聽雅各臨終對他兒子的遺言：「這也是他們的父親對他們說的話，為他們所祝的福，都是按著各人的福分，為他們祝福。」（創四十九28） 有其父必有其子，多麼有福的遺傳。

以撒在談話之前祝福，而雅各是以祝福結束談話，**我稱這叫「祝福三明治」，這是我們能給兒女最有益、最健康的三明治**。在與他們談話前後都有祝福的話，那麼在親子關係上可起新的革命！

你知道　神命令我們去祝福人嗎？「我奉命祝福……」（民廿三20）我以前不知該在飯前還是飯後祝福，有一天，我讀到一個經節「你喫得飽足，就要稱頌耶和華你的　神，因祂將那美地賜給你了」（申八10）。原來有顆感謝的心，嘴裏就會發出祝福的話。

「你們要給人，就必有給你們的。」這句話也表示「你們要祝福，也就必得祝福」。記住「已有的還要再加給他」。下次在飯前飯後都給　神一個**祝福三明治**，我們就永遠不用耽心會得胃潰瘍！

我們常聽人禱告說：「主！求祢祝福預備飯食的這雙手！」據說在俄國，孩子們必須在飯後親吻母親的手，表示感謝之意，這「雙手」是眞正被祝福的。

你碰見一陌生人的直覺反應是什麼？「她好胖！」或「她好美！」我們可能評頭論足一番，但你可以訓練自己**第一眼就先祝福**。你可在心中說：「主！感謝讚美祢，讓我遇見李××，然後接著說：『主，祝福李××。』」

我和薛牧師結婚前，我很想確定他是不是　神所預備的，因爲我實在不想嫁錯人，免得傷心一輩子；我求　神給我一些印證。「主，祢知道我實在太笨，在這麼重要的事情上還不知道祢的旨意。如果與薛春桐結婚是祢的旨意，求祢使他在今天晚上分手時說：『　神祝福你。』而不只是一般親熱的話。」

那時薛牧師並不習慣說：「　神祝福你。」可是當晚，他在離開一會後，突然回頭說：「　神祝福你。」　神眞的祝福我，如今結婚已卅八年了！感謝　神賜給我如此甜蜜的伴侶。

神曉諭摩西和亞倫應當如何祝福以色列的衆子：「你們要這樣爲以色列人祝福說，願耶和華賜福給你、保護你。願耶和華使祂的臉光照你，賜恩給你。願耶和華向你仰臉，賜你平安。他們要如此奉我的名爲以色列人祝福，我也要賜福給他們。」（民六23～27）我們在　神前爲人代求，然後　神就能祝福他們。希望我們都能成爲　神的「祝福使者」，到處爲別人祝福，也願　神賜福所有祝福人的人。

7.說信心的話。當我們說信心的話時，舌頭就具有生命的力量。我們家電話常響個不停，有一天早晨我正在睡覺時，突然電話鈴響了，我醒來心想**如果耶穌接電話時會說些什麼**？祂會說：「這是耶穌的家，祝福你，　神愛你！」

下次你被電話吵醒或工作被打斷時，請記住「要祝福，不要咒詛」，我也決定要做到這點。不久電話鈴響了，我鼓足勇氣唱首詩歌，拿起聽筒即說：「祝福你！」打電話來的人一定得到祝福，好像主已掌管我們之間的對話。要有信心才能說得出「　神祝福你！」「你定意要

作何事，必然給你成就，亮光也必照耀你的路。」（伯廿二28）

你看見新的服事嗎？以微笑回答服事！不說「喂！」而是要讓聖靈引導你如何與打電話來的人談話。當你說信心的話時，一定要肯定，要有把握，否則就沒有效果。「我實在告訴你們，無論何人對這座山說，你挪開此地投在海裏，他若心裏不疑惑，只信他所說的必成就，就必給他成了。」（可十一23）你的山是什麼？是疾病、悖逆、懷疑、家庭問題、經濟困難或肥胖呢？要說信心的話！「靠耶穌的名，減去五十磅！」心中不要疑惑。

8.說盼望的話。「人心憂慮，屈而不伸，一句良言，使心歡樂。」（心思焦慮沉重，一句鼓勵的話可行奇蹟。）（箴十二25直譯）

9.說愛心的話。「你們的 神說，你們要安慰，安慰我的百姓。要對耶路撒冷說安慰的話，父向他宣告說：他爭戰的日子已滿了，他的罪孽赦免了……」（賽四十1～2）「愛能遮掩一切……。」（箴十12）愛能使你原諒別人，即使他有錯，你仍能說出「我愛你……」。

有位女士曾整夜向 神哭求，求 神挽救她瀕臨破裂的婚姻。第二天早晨，她去教會想從聚會中得到一些答案，但她並沒有從當天的信息中得到幫助。

崇拜結束後，她非常灰心地離開教會，心想：「主！我整夜向祢哭求，祢連向我說句話都沒有！」然而，突然她想起崇拜快結束前，有人禱告說：「早晨說愛心的話，中午說愛心的話，晚上也說愛心的話。」

「主！如果祢指的是對我的先生，我做不到，都是他的錯！」但那晚當她丈夫在聽十點新聞時，她躲在枕墊後面，飛快的說了句：「我愛你！」就跑進房間。第二天早晨再說「我愛你」三個字就比較容易了，家中氣氛也因此緩和了許多。這對夫婦結婚已三十九年，但二人之間根本沒有彼此溝通。她後來說：「第二天起，我先生開始和我說話，他不但幫忙吸地毯，甚至從公司打電話回來向我問安。」

「你好嗎？」幾個禮拜後我問她。

「太好了！」她說：「我先生正在幫我把蕃茄樹插上支架！」

當我十四歲來美國時，有三個月的時間，住在「美國配帶聖經會」創辦人海倫狄克遜的家，她教我學英文。她不只叫我「美溢」，總是稱呼「親愛的美溢」或「我所愛的美溢」。她把別人的名字塡上了愛的香料，至今（四十年後）我仍珍藏這段回憶。

你的兒女記得你怎樣稱呼他們嗎？我們燒菜時喜愛加點糖（聰明的主婦以蜂蜜代替糖），好使味道更好。所以加些愛心的言語，會使一家人更甜蜜。試試暱稱你丈夫，而不是直呼名字。你會發現加了些形容詞，你的婚姻會有出乎意料之外的改變。下次你叫孩子時，在他們的名字後面加上一點愛吧！不要在你叫孩子時，總是和煩人、討厭等不好的字眼連在一塊，對他們甜蜜一點吧！「你們的言語要常常帶著和氣，好像用鹽調和。」（西四6）

保羅說：「你們該效法我，像我效法基督一樣。」他也在書信中加上如下的話語：「我親愛的兄弟推基古……」和「親愛忠心的兄弟阿尼西母……」（西四7、9）。你要常在言語中帶著愛，不要整天大呼小叫，我們種的是什麼，收的就是什麼。

10.「所以你們要棄絕謊言，**各人與鄰舍說實話**，因爲我們是互爲肢體。」（弗四25）「學了基督的眞理。」（弗四21）耶穌以愛心及恩典教導我們眞理，「恩典和眞理都是由基督來的」（約一17）。耶穌是「充充滿滿的有恩典、有眞理」（約一14）。

當我們提到別人的錯誤時，總是强調：「他就是那樣，我不騙你！」聖經上說：「所以你們要彼此認罪、互相代求、使你們可以得醫治，義人祈禱所發的力量，是大有功效的。」（雅五16）

說誠實話表示分享　神的話，耶穌說：「我對你們所說的話就是靈，就是生命。」（約六63）當我們提到　神的話時，就有生命的能力出來！

「耶和華說，至於我與他們所立的約，乃是這樣。我加給你的靈，傳給你的話，必不離你的口，也不離你後裔與你後裔之後裔的口，從今直到永遠。」（賽五十九21）這是　神給我們的應許。

「這律法書不可離開你的口，總要晝夜思想。」（書一8）如果我們常將　神的話記在心中、晝夜思想，　神就應許我們的道路可以亨通，凡事順利！

索引

索引是這本書的靈魂，每一位有心建立家室的婦女，應該徹底查考所列出的每一經節，如同尋找金銀珍寶一般。因爲只有　神的話是靈，是生命。耶穌說：「天地要廢去，我的話却不能廢去。」（太廿四35）「因爲耶和華賜人智慧，**知識和聰明都由祂口而出。**」（箴二6）

貪婪

1.揀選有才能的人，就是敬畏　神、誠實無妄，恨不義之財的人。（出十八21）
2.你們中間有當滅的物，你們若不除掉，在仇敵面前必站立不住……我實在得罪了……現今藏在我帳棚內的地裏。（書七13、20）
3.貪財的背棄耶和華，並且輕慢祂。（詩十3）
4.求祢使我的心……不趨向非義之財。（詩一一九36）
5.有終日貪得無饜的，義人施捨而不吝惜。（箴廿一26）
6.積蓄不義之財……有禍了……犯了罪，使你的家蒙羞，自害己命。（哈二9～10）
7.貪婪……污穢人。（可七22～23）

8.要謹愼自守，免去一切的貪心。（路十二15）

9.法利賽人是貪愛錢財的。（路十六14）

10.我未曾貪圖一個人的金錢、衣服。（徒廿33）

11.裝滿了……貪婪……神判定，行這樣事的人是當死的。（羅一29、32）

12.不可起貪心。（羅七7）

13.……若有稱爲弟兄，是……貪婪的……這樣的人不可與他相交。（林前五11）

14……貪婪，在你們中間連題都不可。（弗五3）

15.……貪心的……就與拜偶像一樣……不要與他們同夥。（弗五5、7）

16.要治死……貪婪，貪婪就與拜偶像一樣。（西三5）

17.貪財是萬惡之根。（提前六10）

18.你們存心不可貪愛錢財，要以自己所有的爲足。（來十三5）

19.心中習慣了貪婪，正是被咒詛的種類。（彼後二14）

管教

1.耶和華你 神管教你，好像人管教兒子一樣。（申八5）

2.不可輕看全能者的管教。（伯五17）

3.祂也開通他們的耳朵得受教訓，……他們若聽從事奉祂，就必度日亨通，歷年福樂。（伯卅

六10～11）

4.不可輕看耶和華的管教，也不可厭煩祂的責備。（箴三11）

5.棄絕管教的，必致貧受辱。（箴十三18）

6.不忍用杖打兒子的，是恨惡他，疼愛兒子的，隨時管教。（箴十三24）

7.趁有指望，管教你的兒子。（箴十九18）

8.愚蒙迷住孩童的心……杖……可以遠遠趕除。（箴廿二15）

9.你要留心領受訓誨，側耳聽從知識的言語。（箴廿三12）

10.不可不管教孩童。（箴廿三13）

11.杖打和責備……放縱的兒子使母親羞愧。（箴廿九15）

12.管教你的兒子，他就使你得安息，也必使你心裏喜樂。（箴廿九17）

13.……不受管教，就是私子……。（來十二8）

14.……祂管教……我們得益處，使我們在祂的聖潔上有分。（來十二10）

15.凡管教的……結出平安的果子，就是義。（來十二11）

財物

1.要將你的珍寶丟在塵土裏，將俄斐的黃金丟在溪河石頭之間。（伯廿二24）

2.豐富尊榮在我，恆久的財並公義也在我。（箴八18）

3.義人必發旺如青葉。（箴十一28）

4.不勞得財必然消耗。（箴十三11）

5.善人給子孫遺留產業。（箴十三22）

6.少有財寶……强如多有財寶，煩亂不安。（箴十五16）

7.貪戀財利的，擾害己家。（箴十五27）

8.少有財利，行事公義。（箴十六8）

9.房屋錢財是祖宗所遺留的。（箴十九14）

10.……惟有知識的嘴，乃爲貴重的珍寶。（箴廿15）

11.速得的產業……却不爲福。（箴廿21）

12.美名勝過大財，恩寵强如金銀。（箴廿二1）

13.心存謙卑……得富有、尊榮、生命……。（箴廿二4）

食物

1.耶和華 神使各樣的樹從地裏長出來……好作食物。（創二9）

2.……你必牧養我的民以色列。（撒下五2）

3.……我已吩咐烏鴉在那裏供養你。（王上十七4）

4.……俄巴底將一百個先知藏了……拿餅和水供養他們。（王上十八4）

5.……我看重他口中的言語，過於我需用的飲食。（伯廿三12）

6.求祢拯救祢的百姓，賜福給祢的產業，牧養他們，扶持他們……（詩廿八9）

7.降嗎哪像雨……將天上的糧食賜給他們。（詩七十八24）

8.於是祂按心中的純正，牧養他們，用手中的巧妙，引導他們。（詩七十八72）

9.祂賜糧食給凡有血氣的，因祂的慈愛永遠長存。（詩一三六25）

10.……賜食物與飢餓的……（詩一四六7）

11.在夏天預備食物，在收割時聚斂糧食。（箴六8）

12.……愚昧人的口吐出愚昧。（箴十五2）

13.並有山羊奶夠你喫……（箴廿七27）

14.……賜給我需用的飲食。（卅8）

15.他好像商船從遠方運糧來……把食物分給家中的人……（箴卅一14～15）

16.我也必將合我心的牧者，賜給你們……（耶三15）

17.他必起來，倚靠耶和華的大能，並耶和華他　神之名的威嚴牧養他……（彌五4）

18.……天上的飛鳥……天父尚且養活他……（太六26）

19.我餓了，你們給我喫。渴了，你們給我喝……（太廿五35）

20.你想烏鴉……　神尚且養活牠……（路十二24）

21. ……常施恩惠，從天降雨，賞賜豐年，叫你們飲食飽足，滿心喜樂……（徒十四17）
22. ……作全羣的監督，……謹慎……牧養 神的教會……（徒廿28）
23. 你的仇敵若餓了，就給他喫。若渴了，就給他喝……（羅十二20）
24. 我若將所有的賙濟窮人……（林前十三3）
25. 那賜種給撒種的，賜糧給人喫的，必多多加給……又增添……（林後九10）
26. 只要有衣有食，就當知足。（提前六8）
27. 務要牧養在你們中間 神的羣羊……（彼前五2）
28. 因爲寶座中的羔羊必牧養他們，領他們到生命水的泉源……（啓七17）

愚昧

1. 口裏愚妄的，必致傾倒……（箴十10）
2. ……愚昧人因無知而死亡……（箴十21）
3. 愚妄人所行的，在自己眼中看爲正直……（箴十二15）
4. 愚妄人的惱怒，立時顯露。通達人能忍辱藏羞……（箴十二16）
5. 和愚昧人作伴的，必受虧損……（箴十三20）
6. 智慧婦人，建立家室。愚妄婦人，親手拆毀。（箴十四1）
7. 到愚昧人面前，不見他嘴中有知識……（箴十四7）

謙卑

4.……以謙卑束腰，彼此順服，因為　神阻擋驕傲的人，賜恩給謙卑的人。（彼前五5）
5.你便心裏敬服，在我面前自卑……因此我應允了你……（王下廿二19）
6.謙卑的人　神必然拯救。（伯廿二29）
7.耶和華阿，謙卑人的心願，祢早已知道，祢必豫備他們的心……（詩十17）
8.……謙卑人聽見，就要喜樂。（詩卅四2）
9.耶和華雖高，仍看顧低微的人……（詩一三八6）
10.……尊榮以前必有謙卑。（箴十五33）
11.心存謙卑，就得富有、尊榮、生命為賞賜。（箴廿二4）
12.……與心靈痛悔謙卑的人同居，要使謙卑人的靈甦醒。（賽五十七15）
13.祂向你所要的是什麼呢？只要你行公義、好憐憫、存謙卑的心與你的　神同行。（彌六8）

光明的行為

1.你們的光也當這樣照在人前，叫他們看見……（太五16）
2.你們心裏不要憂愁。……（約十四1）
3.愛人不可虛假……（羅十二9）
4.在上有權柄的，人人當順服他。因為沒有權柄不是出於　神，凡掌權的都是　神所命的。（羅十三1）

5.行事爲人要端正……（羅十三13）

6.所以我們不可彼此論斷，……（羅十四13）

7.不可叫你的善被人毀謗。（羅十四16）

8.人不可自欺……（林前三18）

9.凡事都要規規矩矩的按著次序行。（林前十四40）

10.凡你們所作的，都要憑愛心而作。（林前十六14）

11.……就當靠聖靈行事。（加五25）

12.我們行善不可喪志……。（加六9）

13.汚穢的言語，一句不可出口，只要隨事說造就人的好話……。（弗四29）

14.一切苦毒、惱恨、忿怒、嚷鬧、毀謗，並一切的惡毒，都當從你們中間除掉。（弗四31）

15.凡事不可結黨，不可貪圖虛浮的榮耀。（腓二3）

16.你們當以基督耶穌的心爲心。（腓二5）

17.……就當照著甚麼地步行。（腓三16）

18.當叫衆人知道你們謙讓的心。（腓四5）

19.又要叫基督的平安在你們心裏作主。（西三15）

20.你們也爲此蒙召歸爲一體……。（西三15）

21. 你們的言語要常常帶著和氣……。(西四6)
22. 又要彼此相顧,激發愛心,勉勵行善。(來十24)
23. 你們務要常存弟兄相愛的心。(來十三1)
24. ……使你們成全完備……。(雅一4)
25. 你們中間若有缺少智慧的,應當求 神,主就必賜給他。(雅一5)
26. ……但你們各人要快快的聽,慢慢的說……(雅一19)
27. 我們要歡喜快樂,將榮耀歸給祂。

溫柔

1. 摩西爲人極其謙和……(民十二3)
2. 謙卑的人必喫得飽足……(詩廿二26)
3. 祂必按公平引領謙卑人,將祂的道教訓他們。(詩廿五9)
4. 但謙卑人必承受地土,以豐盛的平安爲樂。(詩卅七11)
5. 爲眞理、謙卑、公義赫然坐車前往,無不得勝。(詩四十五4)
6. 神起來施行審判,要救地上一切謙卑的人。(詩七十六9)
7. 耶和華扶持謙卑人……(詩一四七6)
8. ……他要用救恩當作謙卑人的妝飾。(詩一四九4)

9.驕傲來羞恥也來，謙遜人却有智慧。（箴十一2）

10.謙卑人，必因耶和華增添歡喜。（賽廿九19）

11.……叫我傳好信息給謙卑的人。（賽六十一1）

12.當尋求公義、謙卑，或者在耶和華發怒的日子可以隱藏起來。（番二3）

13.溫柔的人有福了，因為他們必承受地土。（太五5）

14.我心裏柔和謙卑。（太十一29）

15.你的王來到你這裏是溫柔的。（太廿一5）

16.……藉著基督的溫柔、和平，勸你們。（林後十1）

17.聖靈所結的果子就是……溫柔……（加五22～23）

18.屬靈的人就當用溫柔的心。（加六1）

19.行事為人就當……謙虛、溫柔……（弗四1～2）

20.所以……就要存溫柔的心。（西三2）

21.但你這屬　神的人，要……追求……溫柔。（提前六11）

22.用溫柔勸戒那抵擋的人。（提後二25）

23.……不要爭競，總要和平，向衆人大顯溫柔。（多三2）

24.……他就當在智慧的溫柔上顯出他的善行來。（雅三13）

25.……存溫柔的心，領受那所栽種的道……。（雅一21）

26.……溫柔、安靜的心為裝飾……。（彼前三4）

27.……以溫柔、敬畏的心回答各人。（彼前三15）

驕傲

1.惡人面帶驕傲，……以為沒有神。（詩十4）

2.你必把他們藏在你面前的隱密處，免得遇見人的計謀……。（詩卅一20）

3.……眼目高傲，心裏驕縱的，我必不容他。（詩一〇一5）

4.……偏離你命令的驕傲人，你已經責備他們。（詩一一九21）

5.驕傲人編造謊言攻擊我……（詩一一九69）

6.……驕傲人為我掘了坑。（詩一一九85）

7.……不容驕傲人欺壓我。（詩一一九122）

8.耶和華所恨惡的有六樣……高傲的眼……。（箴六16～17）

9.敬畏耶和華，在乎恨惡……驕傲……（箴八13）

10.驕傲來，羞恥也來……。（箴十一2）

11.驕傲只啓爭競……。（箴十三10）

12.耶和華必拆毀驕傲人的家……。（箴十五25）

13.凡心裏驕傲的，爲耶和華所憎惡……。（箴十六5）
14.驕傲在敗壞之先……（箴十六18）
15.惡人發達、眼高心傲，這乃是罪。（箴廿一4）
16.……降罰的一個日子，要臨到驕傲狂妄的……。（賽二12）
17.他使住高處的，與高城一併敗落……。（賽廿六5）
18.……我必因你們的驕傲，在暗地哭泣。（耶十三17）
19.……他的忿怒，是虛空的。他誇大的話，一無所成。（耶四十八30）
20.……你因心中的狂傲自欺……。（耶四十九16）
21.……所多瑪的罪孽是這樣，他和他的衆女都心驕氣傲，糧食飽足……。（結十六49）
22.……那行動驕傲的，他能降爲卑……。（但四37）
23.但他心高氣傲，……就被革去王位，奪去榮耀。（但五20）
24.……那時我必從你中間除掉矜誇高傲之輩，你也不再於我的聖山狂傲。（番三11）
25.……驕傲、狂妄。這一切的惡……能汚穢人。（可七22～23）
26.他是自高自大，一無所知……（提前六4）
27.因爲那時人……自誇、狂傲……這等人你要躲開。（提後三2～5）
28.……今生的驕傲，都不是從父來的……（約壹二16）

後裔的福

1.耶和華你　神必將你心裏，和你後裔心裏的污穢除掉，好叫你盡心盡性愛耶和華你的　神，使你可以存活。（申卅6）

2.但耶和華如此說：「就是勇士所擄掠的，也可以奪回。強暴人所搶的，也可以解救。與你相爭的我必與他相爭，我要拯救你的兒女……凡有血氣的，必都知道我耶和華是你的救主，是你的救贖主，是雅各的大能者。」（賽四十九25～26）

3.……我要將我的靈澆灌你的後裔，將我的福澆灌你的子孫。（賽四十四3）

4.耶和華說：「至於我與他們所立的約，乃是這樣。我加給你的靈，傳給你的話，必不離你的口，也不離你後裔與你後裔之後裔的口，從今直到永遠。」（賽五十九21）

5.他們的後裔必在列國中被人認識，他們的子孫在衆民中也是如此，凡看見他們的，必認他們是耶和華賜福的後裔。（賽六十一9）

6.你的兒女都要愛耶和華的教訓，你的兒女必大享平安。（賽五十四13）

7.……以色列阿，不要驚惶。因我要從遠方拯救你，從被擄到之地拯救你的後裔……（耶四十六27）

8.誰敬畏耶和華……他必安然居住，他的後裔必承受地土。（詩廿五12～13）

9.……義人的後裔，必得拯救……（箴十一21）

10.敬畏耶和華的，大有依靠，他的兒女，也有避難所。（箴十四26）

11.兒女是耶和華所賜的產業……賞賜。（詩一二七3）

12.他的兒女起來稱他有福……（箴卅一28）

悖逆

1.我們這兒子頑梗、悖逆、不聽從我們的話，是貪食好酒的人。（申廿一20）

2.我知道你們是悖逆的，是硬著頸項的。（申卅一27）

3.悖逆的罪與行邪術的罪相等，頑梗的罪與拜虛神和偶像的罪相同。（撒上十五23）

4.……惟有悖逆的住在乾燥之地。（詩六十八6）

5.……祖宗是頑梗、悖逆、居心不正之輩，向著 神心不誠實。（詩七十八8）

6.……在黑暗中死蔭裏的人，被困苦和鐵鍊捆鎖是因他們違背 神。（詩一〇七10～11）

7.無賴的惡徒，行動就用乖僻的口……心中乖僻，常設惡謀，布散分爭。（箴六12～14）

8.……惡人的口，說乖謬的話。（箴十32）

9.智慧人的嘴、播揚知識。愚昧人的心，並不如此。（箴十五7）

10.惡人只尋背叛，所以必有嚴厲的使者奉差攻擊他。（箴十七11）

11.愚昧人既無聰明，爲何手拿價銀買智慧呢。（箴十七16）

12.生愚昧子的，必自愁苦，愚頑人的父，毫無喜樂。（箴十七21）

13.愚昧人不喜歡明哲，只喜愛顯露心意。（箴十八2）
14.愚昧的兒子是父親的禍患。（箴十九13）
15.刑罰是爲褻慢人預備的，鞭打是爲愚昧人的背預備的。（箴十九29）
16.乖僻人的路上，有荊棘和網羅。（箴廿二5）
17.你不要說話給愚昧人聽。（箴廿三9）
18.智慧極高，非愚昧人所能及，所以在城門內不敢開口。（箴廿四7）
19.鞭子是爲打馬，……刑杖是爲打愚昧人的背。（箴廿六3）
20.藉愚昧人手寄信的，是砍斷自己的脚，自受損害。（箴廿六6）
21.箴言在愚昧人的口中，好像荊棘刺入醉漢的手。（箴廿六9）
22.雇愚昧人的，與雇過路人的，就像射傷衆人的弓箭手。（箴廿六10）
23.石頭重沙土沉，愚妄人的惱怒比這兩樣更重。（箴廿七3）
24.耶和華說禍哉，這悖逆的兒女。（賽卅1）
25.因爲他們是悖逆的百姓，說謊的兒女，不肯聽耶和華訓誨的兒女。（賽卅9）
26.他們竟悖逆，使主的聖靈擔憂，他就轉作他們的仇敵。（賽六十三10）
27.……那悖逆的百姓，他們隨自己的意念行不善之道。（賽六十五2）
28.但這百姓有背叛忤逆的心，他們叛我而去。（耶五23）

29.主我們的　神是憐憫，饒恕人的，我們卻違背了祂。（但九9）

成功

1.信耶和華你們的　神，就必立穩，信祂的先知就必亨通。（代下廿20）
2.……謀士衆多，所謀乃成。（箴十五22）
3.你所作的要交託耶和華，你所謀的就必成立。（箴十六3）
4.得着智慧的，愛惜生命。保守聰明的，必得好處。（箴十九8）
5.你看見辦事殷勤的人麼?他必站在君王面前。（箴廿二29）
6.遮掩自己罪過的，必不亨通。承認離棄罪過的，必蒙憐恤。（箴廿八13）
7.耕種自己田地的，必得飽食。追隨虛浮的，足受窮乏。（箴廿八19）

舌頭

1.義人的口，是生命的泉源。（箴十11）
2.隱藏怨恨的，有說謊的嘴，口出讒謗的，是愚妄的人。（箴十18）
3.多言多語，難免有過。禁止嘴唇，是有智慧。（箴十19）
4.義人的舌，乃似高銀。（箴十20）
5.藐視鄰舍的，毫無智慧。（箴十一12）
6.人因口所結的果子，必飽得美福。（箴十二14）

7.說話浮躁的，如刀刺人。智慧人的舌頭，卻為醫人的良藥。（箴十二18）
8.人心憂慮屈而不伸，一句良言使心歡樂。（箴十二25）
9.諸般勤勞都有益處，嘴上多言乃致窮乏。（箴十四23）
10.作真見證的，救人性命。（箴十四25）
11.回答柔和，使怒消退。言語暴戾，觸動怒氣。（箴十五1）
12.溫良的舌是生命樹……（箴十五4）
13.智慧人的嘴播揚知識。（箴十五7）
14.良言乃為純淨。（箴十五26）
15.義人的心，思量如何回答……。（箴十五28）
16.……舌頭的應對，由於耶和華。（箴十六1）
17.匪徒圖謀奸惡，嘴上彷彿有燒焦的火。（箴十六27）
18.乖僻人播散分爭，傳舌的離間密友。（箴十六28）
19.……說謊的側耳聽邪惡之語。（箴十七4）
20.遮掩人過的，尋求人愛。屢次挑錯的，離間密友。（箴十七9）
21.寡少言語的有知識。性情溫良的有聰明。（箴十七27）
22.愚昧人張嘴啟爭端。（箴十八6）

23.傳舌人的言語如同美食。（箴十八8）

24.生死在舌頭的權下。（箴十八21）

25.往來傳舌的，洩漏密事，大張嘴的不可與他結交。（箴廿19）

26.……因爲心裏所充滿的，口裏就說出來。（太十二34）

27.凡人所說的閒話，當審判的日子，必要句句供出來，……也要憑你的話，定你的罪。（太十二36～37）

28.……若有人在話語上沒有過失，他就是完全人。（雅三2）

29.這樣，舌頭在百體裏也是最小的……最小的火，能點着最大的樹木。舌頭就是火，在我們百體中，舌頭是個罪惡的世界，能汚穢全身，也能把生命的輪子點起來，並且是從地獄裏點着的。（雅三5～6）

30.所以你們要彼此認罪，互相代求，使你們可以得醫治，義人祈禱所發的力量，是大有功效的。（雅五16）

水

1.你們要事奉耶和華你們的　神，祂必賜福與你的糧，與你的水，也必從你們中間除去疾病。（出廿三25）

2.……領我在可安歇的水邊。（詩廿三2）

3.耶和華的聲音發在水上……（詩廿九3）

4.……滋潤人的，必得滋潤。（箴十一25）

5.你的仇敵……若渴了就給他水喝。（箴廿五21）

6.有好消息從遠方來，就如拿涼水給口渴的人喝。（箴廿五25）

7.所以你們必從救恩的泉源歡然取水。（賽十二3）

8.我耶和華是看守葡萄園的，我必時刻澆灌晝夜看守，免得有人損害。（賽廿七3）

9.……他的水必不斷絕。（賽卅三16）

10.……在曠野必有水發出，在沙漠必有河湧流。（賽廿五6）

11.我要在淨光的高處開江河，在谷中開泉源，我要使沙漠變成為水池，使乾地變為湧泉。（賽四十一18）

12.因為我要將水澆灌口渴的人，將河澆灌乾旱之地。我要將我的靈澆灌你的後裔，將我的福澆灌你的子孫。（賽四十四3）

13.……他為他們使水從磐石而流……。（賽四十八21）

14.……引導他們，領他們到水泉旁邊。（賽四十九10）

15.你們一切乾渴的都當就近水來……（賽五十五11）

16.……你們必像澆灌的園子，又像水流不絕的泉源。（賽五十八11）

17.……就是離棄我這活水的泉源……。（耶二13）

18.他們的心必像澆灌的園子，他們也不再有一點愁煩。（耶卅一12）

19.……牢獄裏沒有水，只有淤泥，耶利米就陷在淤泥中。（耶卅八6）

20.凡因你們是屬基督，給你們一杯水喝的，我實在告訴你們，他不能不得賞賜。（可九41）

21.……他也必早給了你活水。（約四10）

22.……人若渴了，可以到我這裏來喝。（約七37）

23.信我的人，就如經上所說，從他腹中要流出活水的江河來。耶穌這話是指着信他之人，要受聖靈說的……（約七38～39）

24.要用水藉着道，把教會洗淨，成爲聖潔。（弗五26）

25.因爲寶座中的羔羊必牧養他們，領他們到生命水的泉源，　神也必擦去他們一切的眼淚。（啟七17）

26.天使又指示我在城內街道中一道生命水的河，明亮如水晶，從　神和羔羊的寶座流出來。（啟廿二1）

27.……口渴的人也當來，願意的都可以白白取生命的水喝。（啟廿二17）

飲食

1.當用對準公平的法碼，公平的升斗，這樣，在耶和華你　神所賜你的地上，你的日子就可以

長久。（體重控制）（申廿五15）
2.義人喫得飽足，惡人肚腹缺糧。（箴十三25）
3.聰明人心求知識，愚昧人口喫愚昧。（垃圾食物，脂肪等）。（箴十五14）
4.困苦人的日子，都是愁苦。心中歡暢的，常享豐筵。（箴十五15）
5.喫素菜，彼此相愛。强如喫肥牛，彼此相恨。（如想減肥，則少吃牛肉）（箴十五17）
6.以虛謊而得的食物（騙人的食物），人覺甘甜。但後來他的口必充滿塵沙（蛀牙？）。（箴廿17）
7.兩樣的法碼，爲耶和華所憎惡。詭詐的天平，也爲不善。（箴廿23）
8.求你使虛假和謊言遠離我，使我也不貧窮，也不富足，賜給我需用的食物。（箴卅8）
9.你們爲何花錢買不足爲食物的？用勞碌得來的買那不使人飽足的呢？你們要留意聽我的話，就能喫那美物，得享肥甘心中喜樂！（賽五十五2）

智慧

1.敬畏耶和華是智慧的開端。（詩一一一10）
2.愚妄人藐視智慧和訓誨。（箴一7）
3.……我要將我的靈澆灌你們，將我的話指示你們。（箴一23）
4.因爲耶和華賜人智慧，知識和聰明，都由祂口而出。（箴二6）

5.智慧必入你心，你的靈要以知識爲美。（箴二10）

6.得智慧、得聰明的，這人便爲有福。（箴三13）

7.比珍珠寶貴，你一切所喜愛的，都不足與比較。（箴三15）

8.他右手有長壽，左手有富貴。（箴三16）

9.他的道是安樂，他的路全是平安。（箴三17）

10.他與持守他的作生命樹，持定他的俱各有福。（箴三18）

11.耶和華以智慧立地……（箴三19）

12.我兒，要謹守眞智慧……不可使他離開你的眼目。（箴三21）

13.這樣，他必作你的生命……（箴三22）

14.要得智慧，要得聰明，不可忘記……。（箴四5）

15.智慧爲首，所以要得智慧……（箴四7）

16.高舉智慧，他就使你高陞。懷抱智慧，他就使你尊榮。（箴四8）

17.他必將華冠加在你頭上，把榮冕交給你。（箴四9）

18.對智慧說：「你是我的姊妹，稱呼聰明爲你的親人。」（箴七4）

19.敬畏耶和華，在乎恨惡……驕傲……都爲我所恨惡。（箴八13）

20.我智慧以靈明爲所，又尋得知識和謀略。（箴八12）

21.我有謀略和眞知識，我乃聰明，我有能力。（箴八14）
22.愛我的，我也愛他。懇切尋找我的，必尋得見。（箴八17）
23.豐富尊榮在我，恆久的財並公義也在我。（箴八18）
24.我的果實勝過黃金，强如精金，我的出產超乎高銀。（箴八19）
25.那時，我在他那裏爲工師，日日爲祂所喜愛，常常在祂面前踴躍。（箴八30）
26.……因爲謹守我道的，便爲有福。（箴八32）
27.要聽教訓，就得智慧，不可棄絕。聽從我，日日在我門口仰望，在我門框旁邊等候的，那人便爲有福。因爲尋得我的，就尋得生命，也必蒙耶和華的恩惠。（箴八33～35）
28.你藉着我，日子必增多，年歲也必加添。（箴九11）
29.智慧人積存智慧，愚妄人的口速致敗壞……禁止嘴唇是有智慧。（箴十14～19）
30.……謙遜人卻有智慧。（箴十一2）
31.……有智慧的必能得人。（箴十一30）
32.智慧婦人，建立家室。愚妄婦人，親手拆毀。（箴十四1）
33.明哲人眼前有智慧……。（箴十七24）
34.得着智慧的，愛惜生命……。（箴十九8）
35.……人的智慧使他的臉發光，並使他臉上的暴氣改變。（傳八1）

36.所積蓄的一切智慧、知識，都在他裏面藏著。（西二3）
37.……他就當在智慧的溫柔上，顯出他的善行來。（雅三13）
38.惟獨從上頭來的智慧，先是清潔，後是和平、溫良、柔順、滿有憐憫多結善果、沒有偏見、沒有假冒。（雅三17）
39.智慧人必發光，如同天上的光，那使多人歸義的，必發光如星，直到永永遠遠。（但十二3）

靈修叢書　ES014(平)

智慧婦人

原　　著／薛王美溢
譯　　者／焦金堅
發 行 人／章啓明
出 版 者／財團法人基督教以琳書房
地　　址／臺北市忠孝東路四段210號B1
網　　址／www.elimbookstore.com.tw
電　　話／（02）27772560　轉51、52
郵政劃撥／0586363-4　財團法人基督教以琳書房
製 版 廠／聯盟彩色印刷製版有限公司
登 記 證／局版臺業字第2854號

出版日期／1987年 8月一版一刷
2000年 3月一版卅七刷

原著書名／The Rib
by Amy Sit

本書如有缺頁、破損、裝訂錯誤，請寄回本書房調換。
ISBN　957-9507-44-9 (平裝)

國立中央圖書館出版品預行編目資料

智慧婦人 /薛王美溢(Amy Sit)原著；焦金堅譯，
--一版. --臺北市：以琳, 1987〔民76〕
面； 公分.--（靈修叢書；ES014)
譯自：The Rib
ISBN　957-9507-44-9（平裝）

1.基督徒

244.9　　81000283